エンジニアが Excel VBAを簡単に学べる本

渡部 守

日経BP

はじめに

本書は、エンジニアの方々に向けたExcel VBAの入門書です。言い換えますと、Excelでマクロを作るための本です。ここでいうエンジニアとは、IT系のエンジニアであるシステムエンジニア（SE）やプログラマーなどに限らず、幅広い意味で工学的な仕事に従事されている方々を対象にしています。

実験・研究・開発・設計といった技術職務で、Excelを使って大容量のデータを整理・加工・分析などをすることに日々苦戦を強いられているエンジニアの方は多いかと思います。取り扱うデータの量が大きいだけに、短時間で手軽にExcel VBAのプログラムが組めるようになってマクロを使えるようになることで、格段に作業効率がアップします。特に大容量のデータ入出力を、VBAで効率よく自動化できることによる時短の効果はまさに絶大です。

本書をご利用いただくことで、エンジニアにとって研究などのもっと楽しい本質的な部分により多くの時間が割けること。データ処理の単純作業から解放され、研究・開発・設計業務に集中できるようになること。Excelの単純作業はさっと組んだVBAで、ささっと終えることができるようなってもらいたい。――これが本書の目的です。

筆者は専門分野として長年、土木系3次元CAD（コンピュータによる設計）ソフトのマクロ開発に携わってきたSEです。マクロはもともと、CADソフトの分野で発展してきた機能です。CADソフトの繊細で時間のかかる面倒な操作は、Excelの比ではありません。コンピュータを使った作業の中で、その時間と労力のかかる最たるものであるCADソフトの操作を、ユーザー自身が自動化して楽をする。そのための機能としてCADの世界で発展してきたものがマクロだといえます。そして今では、そのユーザー数の多さから本書で学ぶExcelのVBAがマクロの代名詞となったわけです。

なお、本書ではエンジニア仕事の核心部分となる数値解析やデータサイエンスに関しては一切触れません。データの特に面倒な加工や入出力の自動化で、ワキを固めることを目的とします。

■ 本書の構成

本書では、Excel VBAの便利な機能である「マクロの記録」をフル活用した効率的なマクロ作りを学んでいきます。「マクロの記録」は、設計エンジニアの方であればCADソフトでなじみのある「コマンド記録」のようなものだと理解するとイメージしやすいかも知れません。

まずは、第1章、第2章、第3章を通して、その「マクロの記録」の有効な使い方やコツに慣れると同時に、マクロ作りの基本動作を身に付けていきます。次の第4章では、複数のファイルの扱い方を学びます。

後半の第5章では、大容量のテキストデータを効率よく扱う方法を、第6章のグラフ作成では、エンジニア仕事で欠かすことのできないデータの可視化（グラフ化）に関して、グラフ自動作成マクロの手軽な作り方の手順とそのノウハウを詳しく説明します。

さらに、第7章では配列と関数を、第8章ではプログラムのデバッグと高速化を、それぞれエンジニア向けに解説した内容になっています。

Excel VBAを学ぶための本は数多くあるでしょう。しかし、それらのほとんどが事務系のデータ処理を対象にしたものばかりで、技術系エンジニアの皆さんに適した内容とは必ずしもいえないと思います。しかも、仰々しい（たくさんの勉強時間を要するような）「ハイコード」でVBAを教えている場合が多いです。本書では、「マクロの記録」を最大限にうまく活用することで、「ローコード」でVBAが組める方法を（ハイコードでもなければノーコードでもない方法を）教える内容となっています。どうぞこのノウハウを定型作業の効率化と時短にお役立ていただければ幸いです。

本書の使い方

巻末付録に記載している本書ウェブページのアドレス（URL）から、本書の各章で用いるテストデータやサンプルコードがダウンロードできます。各章での指示に従ってファイルをダウンロードしてご利用ください。

目次

エンジニアがExcel VBAを簡単に学べる本

第1章 マクロの基礎知識 12

1-1 Excelの操作を自動化できるVBA……12

1-2 Excel VBAの特長を知ろう！……14
- Basic調の簡単言語……14
- ほとんどの主データはExcelに置ける……15
- Excel機能の多くが使える……15

1-3 マクロ初めの一歩（具体的な作り方）……17
- 初期設定（マクロの利用環境を整えよう！）……17
- マクロ作成の具体的手順……19
- ファイルの保存方法とマクロの有効化……27

1-4 エディタの使い方とコードの書き方……30
- Module名の変更……31
- モジュールの削除……32
- 大文字・小文字の区別……33
- コメント文……33
- 画面の親子関係……34

メモ
- マクロのセキュリティ警告について……29
- VBE画面が消えた場合の対処法……29

COLUMN 一般のプログラミングとマクロのプログラミングの違い……35

第2章 最短で学ぶ VBAプログラムの基本 36

2-1 シートからデータを入出力する……38
チャレンジ……43

2-2 繰り返し処理（ループ文）の書き方……46

2-3 分岐処理の書き方……52

メモ

コンパイルエラーが出る場合の対処方法……43
変数名のルール……44
字下げ（インデント）の方法……49
分岐（IF文）条件式の書き方の例……56

COLUMN セルの選択方法……45
COLUMN ローコードのススメ……57

第3章 シートとブックの操作 58

3-1 シートを別のファイルに保存する……59
3-2 シート名をファイル名に設定する……66
3-3 ファイル名に今日の日付を付加する……70
3-4 シートを連続で自動処理する……76
チャレンジ……81

メモ
Formatを用いた日付の書き方の例……75

COLUMN Excel VBAは引き継げないから使用禁止？……83

第4章 複数ファイルのデータを結合する 84

4-1 自動でファイルを開いてデータを取り込む……86
4-2 最後の行の下に次のデータを追加する……95
4-3 コピーする元データの範囲を指定する……100
4-4 すべてのファイルを連続で取り込む……104

メモ
「マクロの記録」の賢い利用法のコツ……94
Excel VBAの重要構文（データの最後の行を取得する）……99

第5章 大容量テキストファイルの読み書き 110

5-1 テキストファイル自動操作の基礎知識……112

5-2 テキストファイルへのデータ書き出し……122
チャレンジ……130

5-3 テキストファイルを連続で読み込む……131

5-4 テキストファイルへ連続で書き出す……137
チャレンジ……140

メモ
基本構文のオープンモードのポイント……124
ファイル番号のポイント……124
書き出す文字列のポイント……125
Write文のポイント……128
フォーマットの指定のポイント……129

第6章 グラフの自動作成 141

6-1 グラフ自動操作の基本をマスターする……142
チャレンジ……148
6-2 グラフを連続して自動作成する……149
6-3 グラフの出力位置を指定する……155
6-4 グラフのサイズを自動調整する……161
6-5 グラフを一括で削除する……169
6-6 グラフの軸を自動調整する……179

メモ
グラフ作成のポイント1……147
グラフ作成のポイント2……147

第7章 配列と関数 190

7-1 配列 …… 191

7-2 関数 …… 197

ワークシート関数をVBAで利用する方法 …… 197

主によく使う標準関数 …… 198

ユーザー定義関数（SubとFunction） …… 199

メモ

マクロ言語に配列は不要です …… 201

第8章 デバッグと高速化 202

8-1 デバッグの基本 …… 203

8-2 高速化の手法 …… 213

メモ

イミディエイトウィンドウに関する補足 …… 212

COLUMN マクロ高速化の正しい手順と「見える化」 …… 222

付録 デバッグと高速化 223

1 テストデータとサンプルコードのダウンロード先……223

2 VBAコードの移動と完全削除の方法……224

3 「マクロの記録」の賢い使い方：固定部分を可変に直す……228

4 チャレンジ問題の解答例……231

第1章

マクロの基礎知識

1-1 Excelの操作を自動化できるVBA

エンジニアの方々はもうご存知かもしれませんが、最初に「マクロ」と「VBA」について簡単に整理しておきましょう。

マクロは「複雑なコンピュータの操作を自動化するための技術の総称」です。コンピュータの世界ではかなり前から広く使われている、一般的な用語の一つです。今では、マイクロソフトのMicrosoft Office製品（ExcelやAccessなど）に付帯するマクロ機能がその代表格として有名になったこともあり、マイクロソフトの用語と思われているかもしれませんが、本来は一般的なコンピュータ用語です。

一方のVBA（Visual Basic for Applications）は、マイクロソフトが提供しているプログラミング言語の名称です。 つまり、VBAはマイクロソフトが作った用語です。Excel VBAやAccess VBAというように、MS Officeの各ソフトで使えますし、現在ではマイクロソフト以外のWindows上で動作するソフト（たとえば、CADで有名なAutoCADなど）にも、VBAを備えたものがあります。

これらを理解したうえで、本書で取り上げるExcel VBAを一言でまとめると「複雑なExcelの操作を自動化するためのマクロ機能であり、そのためのプログラミング言語である」となります。

ただし残念なことに、VBA関連サイトなどを見ていると、ときおり、「マクロ」=「マクロの記録」であって、「マクロだけでは足らない部分を補うのがVBAだ！」とか 、「マクロから脱出する方法がVBAだ！」とか、何ともトンチンカンな解釈を見かけることがありますが、それは明らかに誤った素人解釈です。間違わないようにしてください。

なお、Excel(をはじめとするMicrosoft Office製品)の操作を自動化するために一般のユーザーが使えるプログラミング言語というのは、VBAに限定されています。そのため、Excelに限っていえば、

マクロ≒VBA
(マクロ　ほぼイコール　VBA)

といわれる場合が多いです。少なくとも

マクロ≠VBA
(マクロ　ノットイコール　VBA)

では決してありません。
もっと正確にいえば、

マクロ＞VBA
(マクロ　大なり　VBA。すなわち、VBAはマクロの中に含まれる)

というのが一番正しい理解になるでしょう。

1-2 Excel VBAの特長を知ろう！

Excel VBAの特長を3点紹介します。Excel VBAを使うとき、これらの特長を活かすことになるので、最初に頭に入れておきましょう。

- Basic調の（Basicのような）簡単言語である（難しい使い方もできてしまうので要注意！）
- ほとんどの主データはExcelに置ける（つまり、変数や配列は少なくて済む）
- Excel機能の多くが使える（自動記録でコード化できる）

Basic調の簡単言語

そもそもマクロの言語（ExcelでいうところのVBA）とは、アプリケーションの一般ユーザーが（プログラマーではない人が）容易に組んで（作成して）利用することを目的とした言語です。

ただし、本書で勉強するExcel VBAは、柔軟性が高く高機能（いろんな操作ができる。本格的なシステムと呼べる規模のものまで組める）言語になっています。なので、Excelの面倒な操作を自動化するためにVBAを覚えようとするエンジニアの方々は、VBAのすべてを学ぶ必要はありません。たとえば、メソッドやプロパティに代表される難しいオブジェクト指向関連の使い方を勉強する必要はないのです。

少し余談になりますが、BasicやFORTRANやC言語に代表される従来型の順次処理言語（手続き型言語）とオブジェクト指向言語は、その概念や性質が大きく異なります。VBAは、両方が使えるがためにかえってややこしく、難しい事柄を不必要に学習しているケースを多く見受けます。それゆえに、VBAを分かりにくく理解しがたい言語とみなす一般ユーザーもいらっしゃるようです。

すでにVBAの勉強を開始している方で、どうにも学習内容が分かりにくいと感じている場合は、まずはそうした難しい（不必要な）部分を意識せずに勉強を進めましょう（本書はそうしています）。また、Basic言語の経験がある人は、VBAはBasic言語の仲間であるという認識をもって、本書で学んでいくことをおすすめします。

VBA≒Basic
（VBA　ほぼイコール　Basic言語）

ほとんどの主データはExcelに置ける

一般的なプログラミング言語では、データはすべてプログラム内に配列などで格納したり、SQL（データベースを操作するための言語）を利用したりします。マクロ言語の場合はそのアプロケーション側に（Excel VBAの場合ならExcelのシート上に）ほとんどのデータを置く（格納する）ことができますから、配列やデータベースを使う必要はありません。また、プログラミングのときにやっかいになりがちな変数についても、一時的に使うもの（カウンター変数や2値交換など）以外には特に必要ありません。なのでExcel VBAでは、一般のプログラミング言語と比較して、使用する変数が極めて少なくて済むのが大きな特徴です。いちいち変数名を宣言して使う必要もありません（Excelで表示上少々やっかいなdate型以外は！）。

Excel機能の多くが使える

上で述べたようにデータをExcelのシート上に置けるので、Excelの機能が容易に使えるのもExcel VBAの大きな特長です。

一例を挙げましょう。Excelのシート上に並ぶデータをたとえば大きい順に並べ替えるといった場合、まず「マクロの記録」機能を起動し（やり方はこのあとで詳しく述べます）、Excelの並べ替え機能を操作してデータを並べ替えるだけで、同じ操作をするVBAの基本コードが作成できます。

そうして作成した基本コードを専用のエディタ（Excelに付属します）を使ってちょこちょこっと修正すれば、それだけで（自分でコードを1行も書かなくても）便利に使える並べ替えのVBAが作成できるといった具合です。

一般のプログラミング言語では、データの並べ替え処理をする場合、2重ループの処理コードを組む（記述する）必要が生じますが、Excel VBAでは上記のように短時間で並び替えのプログラムを作れます。しかも、このExcel VBAの処理スピードは（2重ループを回すより）格段に速いのです。

1-3 マクロ初めの一歩（具体的な作り方）

　ではさっそく、Excel VBAを使ったマクロの使い方を見ていきましょう。ここからは、先に述べたように「マクロ≒VBA」という意味で、マクロという言葉を使っていきます。

初期設定（マクロの利用環境を整えよう！）

※本書をご利用の前に必ずご覧ください!!

1 まずは、開発タブ（マクロ関連のボタン）を表示します。

❶ Excelを起動します。Excel2013以降の場合はスタート画面のテンプレートから空白のブック等を選んで起動してください。

空白のブック

❷ 以下の操作でオプション画面を開きます。

　どこかのタブを右クリックして、メニューから「リボンのユーザー設定(R)」を選びます。

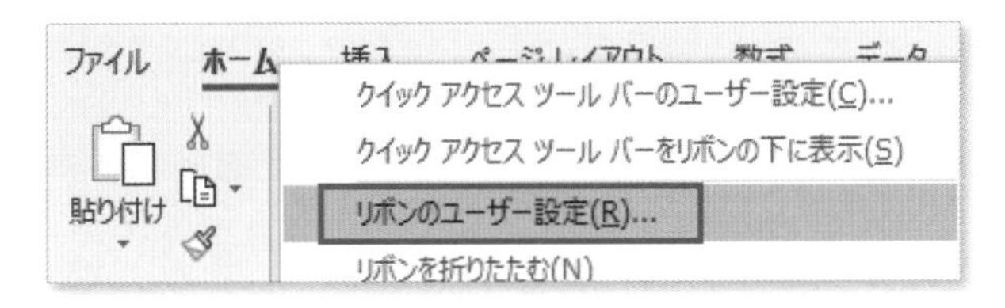

❸ 表示された「Excelのオプション」画面の左側のメニューから［リボンのユーザー設定］をクリックします。表示されるリストの右側の［リボンのユーザー設定(B)］下方の一覧の中の［開発］の項目にチェックを入れ、画面下方の［OK］ボタンをクリックして画面を閉じます。

この設定で、タブメニューに［開発］というタブが表示されたことを確認してください。

これでマクロを使うためのメニュー設定は完了です。この［開発］タブをクリックすると、下のリボンの［コード］というグループの中にマクロ関連のボタンが表示されます。

本書では以降、この［開発］タブの［コード］グループにある各ボタンを使用する方法で操作を説明していきますので、学習の際には、必ずこの［開発］タブの表示設定をしたままでご利用ください。

マクロ作成の具体的手順

本項では、具体的なマクロの作り方の手順（最初の一歩）として、「こんにちは、みなさん！」マクロを作っていきます。

1 まずはExcelを起動して、以下の操作を行ってください。

❶［開発］タブの［コード］で［マクロの記録］をクリック →「マクロの記録」画面が出るので、そのまま［OK］をクリックします。

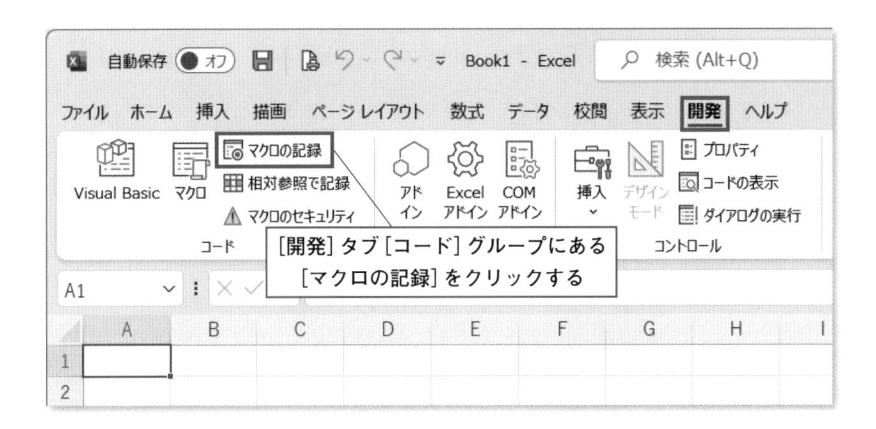

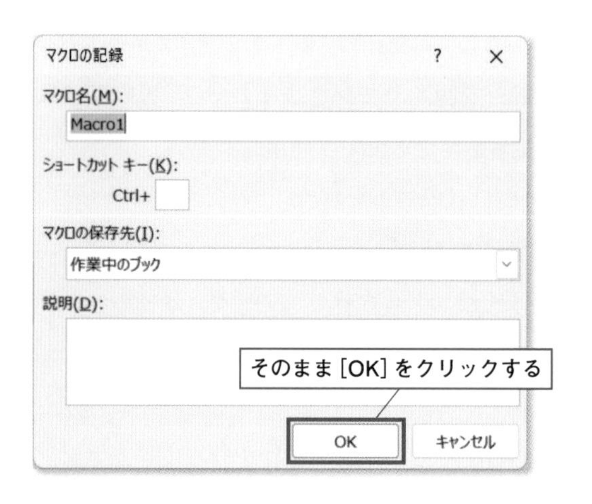

❷ 次に、B2のセルに「こんにちは、みなさん！」と入力してみてください。

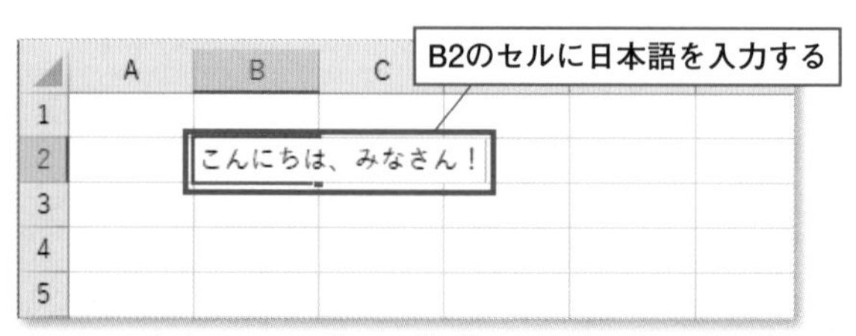

❸ 打ち終わったら一度Enterキーを押してから、［開発］タブの［コード］で［■記録終了］をクリックします。

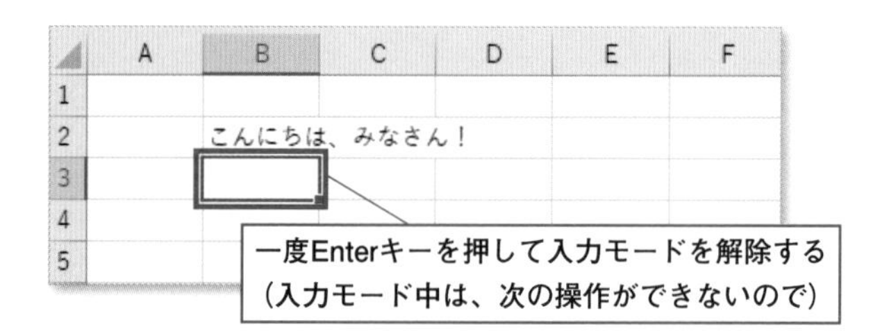

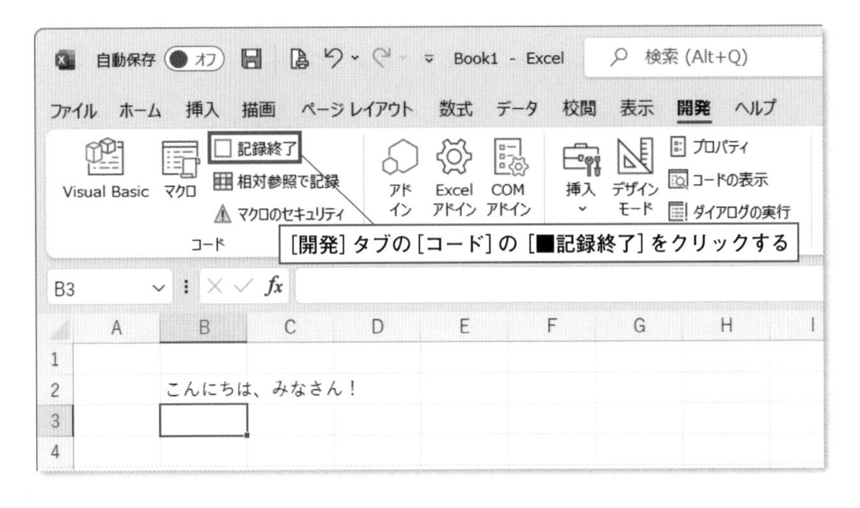

たったこれだけで、「こんにちは、みなさん！」マクロのでき上がりです。

2 さっそく実行してみましょう。

❶ まず、下のシートタブから［Sheet1］右横の ⊕（［新しいシート］ボタン）を押して、新規のシート［Sheet2］を作成し、その空のシートを開いてください。

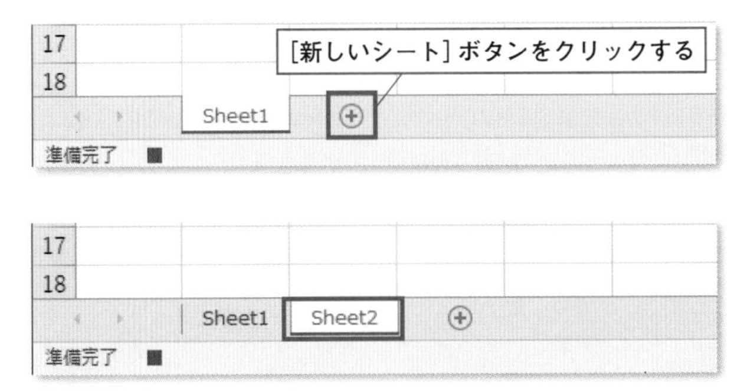

❷ そして、［開発］タブの［コード］で［マクロ］をクリック → 「マクロ」画面が出るのでそのまま［実行］をクリックします。

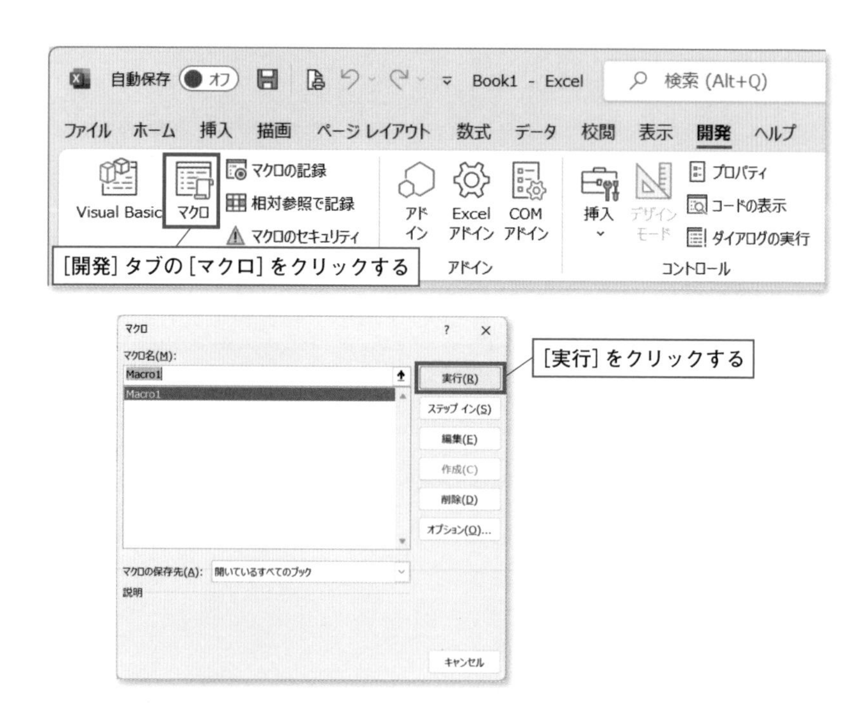

[Sheet2] のB2の位置に「こんにちは、みなさん！」との文字が自動的に書き込まれました。

3 ここで、今作ったマクロのプログラムの中身をのぞいてみましょう。

❶ [開発] タブの [コード] で [Visual Basic] をクリックすると、いつものExcelの画面とは別に、見慣れない画面が表示されます。

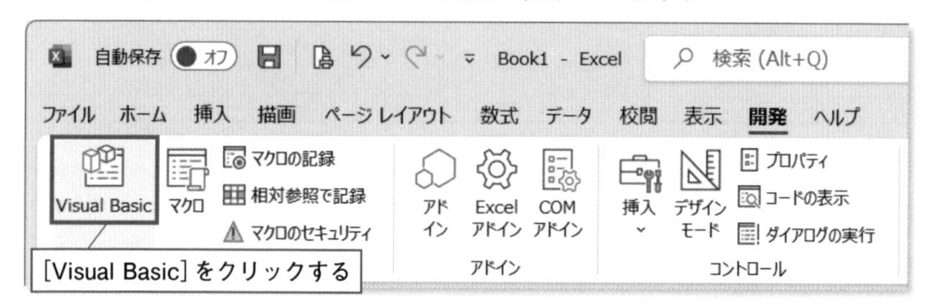

❷ この画面の左上半分の［＋標準モジュール］という個所の＋の部分をクリックすると、そのすぐ下に［Module1］と表示されるので、その［Module1］をダブルクリックします。

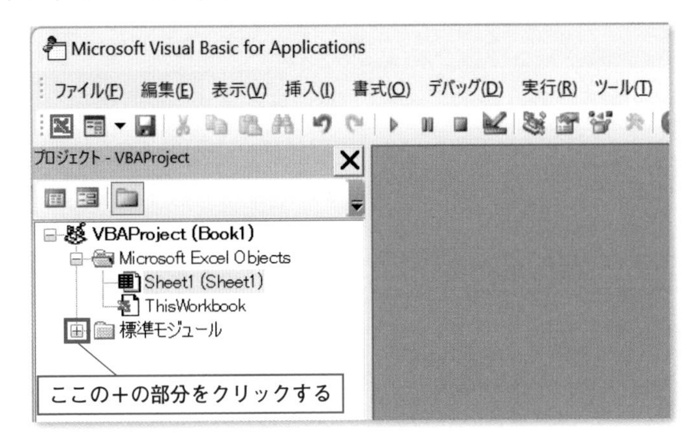

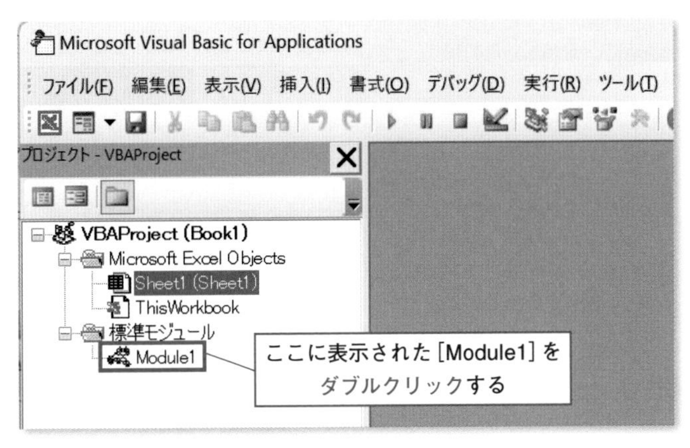

すると、右側に次の文字列が表示されたと思います。これが今作った「こんにちは、みなさん！」と自動表示するマクロプログラムの正体です。ただし、今このプログラムの意味を知る必要はまったくありません！

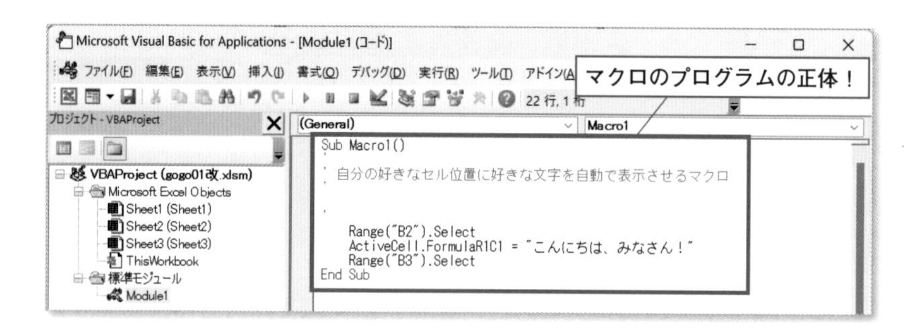

4 次に、このマクロプログラムを少しだけ変えてみましょう。

❶ このプログラムの

```
ActiveCell.FormulaR1C1 = "こんにちは、みなさん！"
```

と書いてある行を

```
ActiveCell.FormulaR1C1 = "あんにょんはせよ、みなさん！"
```

と変えてみてください。

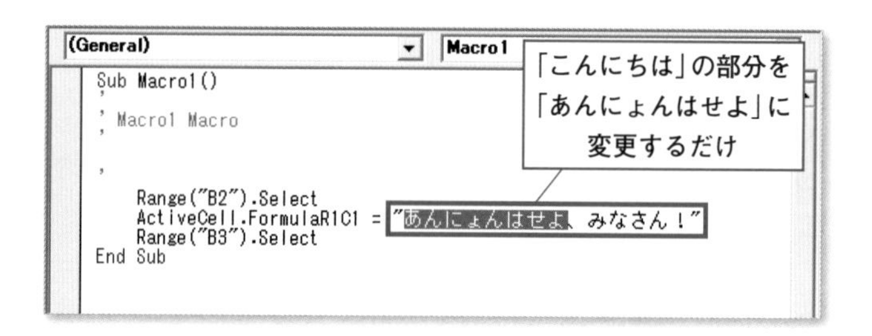

これで、韓国版（？）「あんにょんはせよ、みなさん！」マクロのでき上がりです。

5 さっそく実行してみましょう。

❶ タスクバーでExcelの画面を表示して、実行します。2のときと同じように以下の操作をしてください（シートは［Sheet2］のままでOKです）。

次に、［開発］タブの［コード］で［マクロ］をクリック →「マクロ」画面が出るのでそのまま［実行］をクリックします。

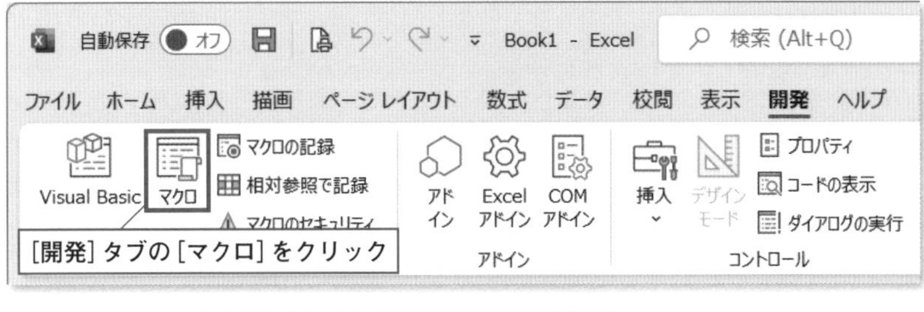

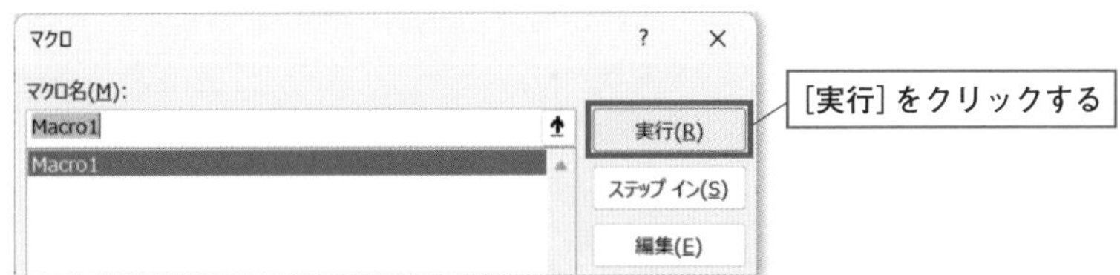

これで、韓国版「あんにょんはせよ、みなさん！」マクロは完成です！

6 最後にもう一度、マクロプログラムを変えてみましょう。

❶ タスクバーで先ほどのプログラムが表示されている画面を表示して、

プログラムの

```
Range("B2").Select
```

と書いてある行を

```
Range("E10").Select
```

にしてみてください。

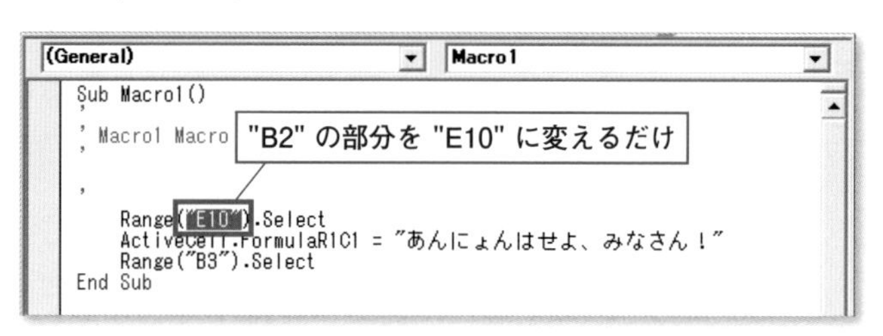

❷ 再びExcelの画面を表示して（シートは［Sheet2］のままでOKです）、［開発］タブの［コード］で［マクロ］をクリック →「マクロ」画面が出るのでそのまま［実行］をクリックします。

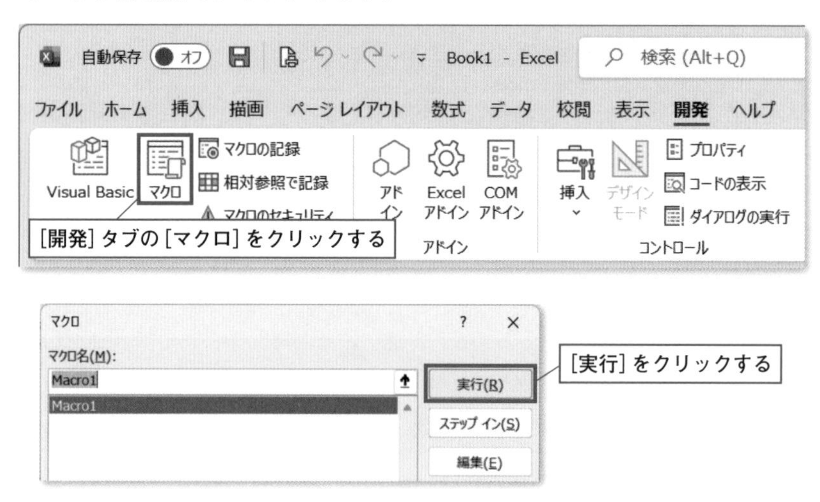

今度は、シートの中程E10のセルに「あんにょんはせよ、みなさん！」という文字が自動で書き込まれました。

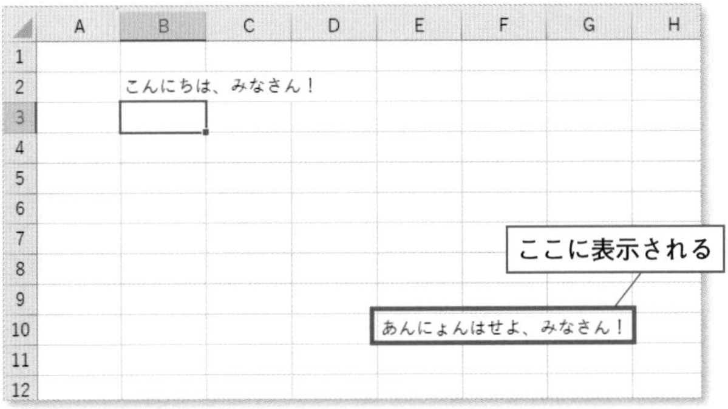

もうみなさん、お分かりですよね。これで、ある位置（セル）に何かの文字を自動的で書かせるためのマクロが作れるようになりました！これが、マクロ作成の初めの一歩です。マクロ作りって思っていたよりずっと簡単ですよね？！

それでは、練習のために自分の好きな位置に好きな文字を自動で表示させてみてください。

本書では、今後もこのように作成手順を一つずつ示しながら、分かりやすく進めていきます。

ファイルの保存方法とマクロの有効化

本項では、ファイルの保存方法を学びましょう。

ファイルを閉じて終了するときは、「ファイルの種類」を必ず［**Excelマクロ有効ブック(*.xlsm)**］にて保存をすることにより、作成したマクロプログラムも一緒にExcelファイルに保存されます。

その具体的な方法は以下のとおりです。Excel画面左上の［ファイル］→［名前を付けて保存］→［参照］→「名前を付けて保存」画面の「ファイルの種類（T）」でプルダウンから上から2番目の［Excelマクロ有効ブック(*.xlsm)］を選び、「ファイル名（N）」に任意のファイル名を指定して、［保存］ボタンで終了します。

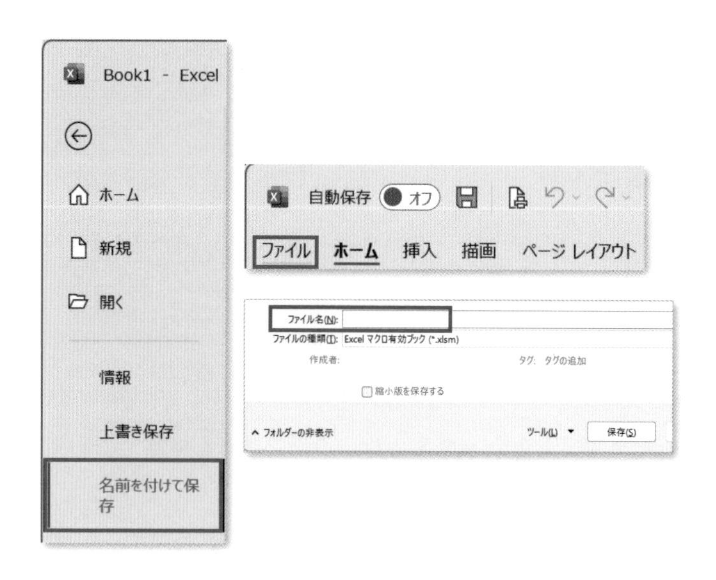

次に、保存したファイルを再度使う方法を説明します。

保存したファイル（マクロ入り.xlsm）を最初に開くと、セキュリティの警告（画面上方に黄色い帯）が表示されますので、その右方にある［コンテンツの有効化］ボタン を押します。すると、保存したマクロが有効化され、使用できるようなります。

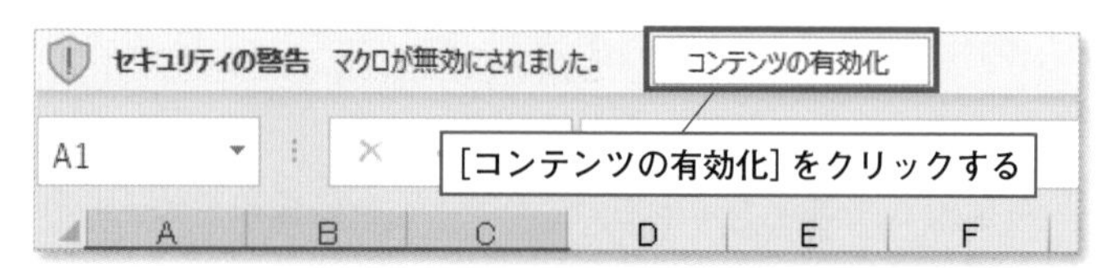

マクロのセキュリティ警告について

Excel2010以降では、セキュリティ関連の設定が改善され、[コンテンツの有効化] のボタンをクリックするだけとなりました。このボタンを一度押すと、以降このファイルのマクロが有効となり、同ファイルを開いた場合にこのボタンは表示されません（ただし、ファイル名を変更したり、フォルダを移動した場合には再度表示されますのでもう一度押す必要があります）。

VBE画面が消えた場合の対処法

操作ミスなどでVBE画面（次節参照）が消えた場合の対処法を説明します。

VBE画面は、[開発] タブの [コード] で [Visual Basic] をクリックすると再び現われます。

このVBE画面内の各ウィンドウも各々の右上の×で消せます。誤って消してしまって再度表示したいときには、VBE画面のメニューの [表示] で再表示できます。

コードのウィンドウは「コード」、左側の「プロジェクト-VBAProject」と書かれたウィンドウは「プロジェクトエクスプローラー」で表示できます。

1-4 エディタの使い方とコードの書き方

前節でも操作したように、マクロ（VBA）プログラムのコードは、[開発]タブの［コード］で［Visual Basic］をクリックすると表示されるエディタ画面で編集します。以降、このエディタ画面をVBEと呼びます。

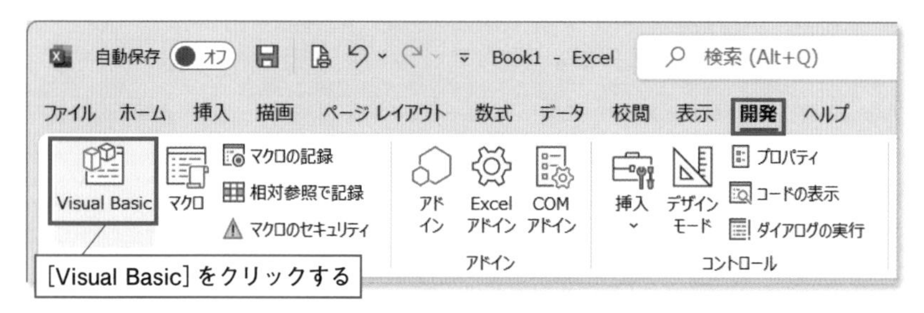

なお、一般的なマクロプログラムのコードは、［標準モジュール］の［Module X］の中にあります（Xは、1、2、……といった数字です）。

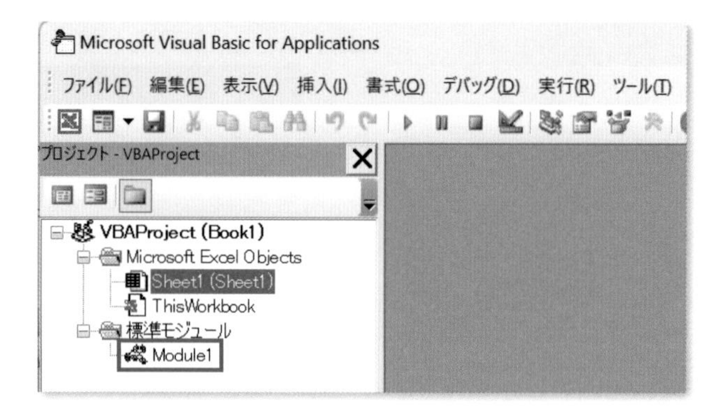

この［標準モジュール］の［Module1］というのは、プログラムのコードを入れる箱です（あるいは器と考えてもよいでしょう）。Excelをファイルに保存して一度閉じてから、「マクロの記録」でマクロを作ると、［Module2］、［Module3］、…、といった具合に一つずつこの箱が増えていきます。ちなみに、Excelを閉じずに開きっぱなしで作っていった場合には、同じ箱の中にいくつでもマクロが入ります。

Module名の変更

Module名を変更する場合は、変更したいModuleを選択してから、その下にある（オブジェクト名）のフィールド（欄）を修正します。

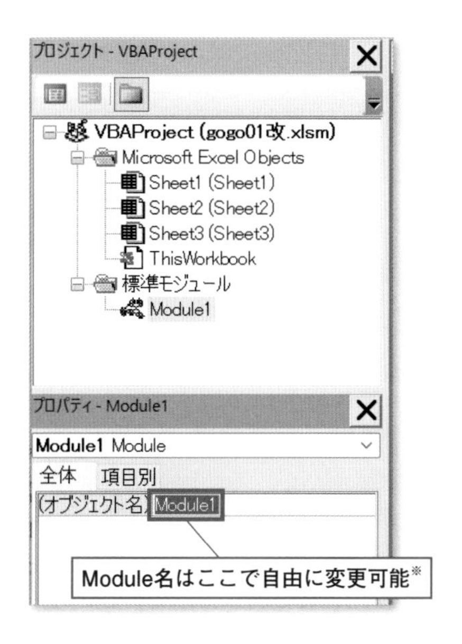

※このModule名には、漢字、ひらがな、カタカナ、英数字、アンダースコア（_）が使用できます。

モジュールの削除

Moduleを削除する場合は、そのModule名を右クリックして表示されるメニューから［Module Xの解放］を選択します。

次の画面が表示されるので、この画面で「いいえ」選びます。

大文字・小文字の区別

VBAで書くコードには、JavaやC言語やPythonのような大文字小文字の区別はありません（強制的に置き換わります）。

たとえば、Range("B2").SelectのSelectと書く場合には、SelectもSELECTもselectもみな同じで、カーソルを他の行に移動した瞬間にすべてSelectに（頭文字が大文字に、以降は小文字に）強制的に置き換わります。

コメント文

コード中にコメント（プログラム本体には影響しない注釈や説明文）を書き込む場合は、クォーテーションマーク（ ' ）以降に書き込みます。書き込んだ文字は薄緑色に表示されます。

このコメント文は、処理自体や処理速度には一切影響しません。また、ファイル保存時の容量（ファイルのサイズ）にもほとんど影響しません。なお、終わりのマーク（C言語でのコメント文/* */ における*/など）は不要です。VBAでは、コメント行の最後までが、コメント扱いとなります。

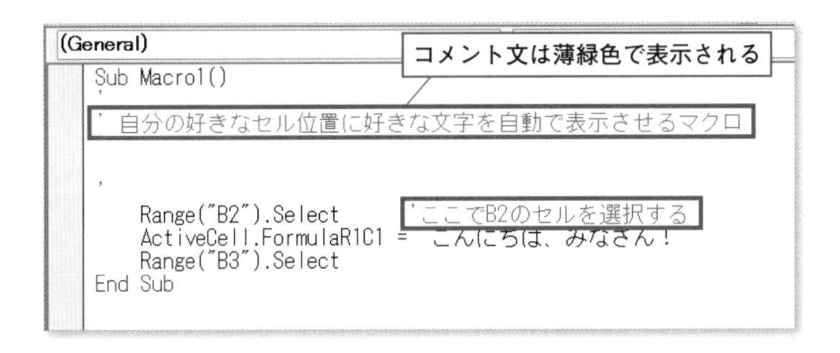

画面の親子関係

Excelでマクロを開発する（マクロプログラムを書く）場合、通常の「Excelの画面」とマクロプログラムを書く「VBEの画面」の2つの画面を切り替えながら作業することになります。

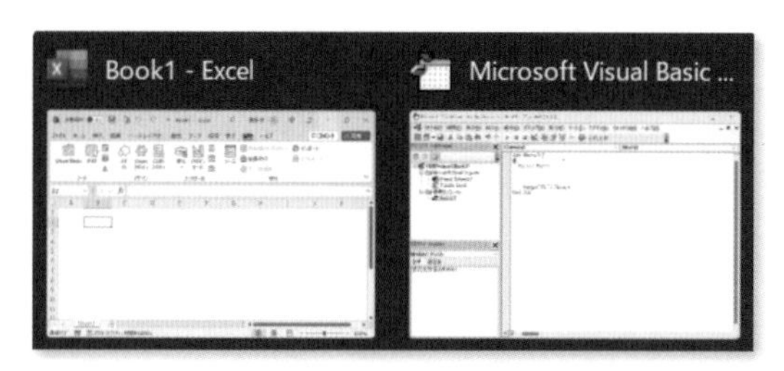

この2つの画面は、「Excelの画面」が親で、「VBEの画面」が子となる、親子関係にあります。よって、親の「Excelの画面」を閉じた場合は子の「VBEの画面」も同時に終了します。その逆となる、子の「VBEの画面」を閉じた場合には、親の「Excelの画面」は終了しません。この場合、子画面での変更事項は保持されます。

COLUMN 一般のプログラミングとマクロのプログラミングの違いを知る

筆者が主催する主に事務系の非プログラマーを対象としたExcel VBAの初心者セミナーでは、まれに（間違って？）、本職のプログラマーも受講します。

かえってそのようなプログラマーのほうが喜んで帰られます。なぜかというと、プロのプログラマーというのは常日頃から難しい言語で難しいプログラムのコードを組んで悪戦苦闘していますから、「こんなに楽で簡単にすばやくプログラムを組める方法があったんだ」という感覚を持たれるからです。

一方、プログラミング経験のない非プログラマーの方は、そもそも比較対象がないですからプログラミングの大変さを知らないので、本書にて学ぶVBAプログラミングの方法でも、「プログラミングってこんなものかな」と感じるのではないでしょうか。

何らかのプログラミングの経験があるエンジニアの皆さんには、そうした驚きの感覚を、本書で勉強を始めた今、ぜひとも体験していただくための最初の第1章～3章の内容となっています。一般のプログラミングとマクロのプログラミングとの違い（簡単さ、手軽さ）を知る、そこがまずは肝心です。でないと、オブジェクトとはいったい何かとか、メソッドがどうのこうの、といった難しい勉強に走ってしまう人が多く見られます。

本書で勉強するBasic調ともいえる手続き型のプログラミング（FORTRANの流れを汲む）と、C++をはじめとするオブジェクト指向型のプログラミングは、まったく違う概念に基づいています。VBAでのExcelの自動化の95%は、オブジェクト指向の知識なしで実現可能です。そのことをまずは頭に入れて、第2章以降の勉強を進めていってください。

最短で学ぶ VBAプログラムの基本

Excel VBAでプログラミングをする際、その基本処理といえるのは大きく分けて次の3つです。

データの入出力　繰り返し処理（ループ文）　分岐処理（IF文）

前章で学んだ「マクロの記録」をある程度使いこなせるようになり、かつ、この3つの書き方の基本を押さえる――。そうすれば、Excel VBA（その大本はBasic言語です。以下VBAと表記します）を組むことは、多少にかかわらず何らかのプログラミング経験者であることの多いエンジニアにとって、比較的容易だといえるでしょう。

3つの基本の概要は次のとおりです。

データの入出力（セルから）の基本 …… 2-1

```
ActiveCell.FormulaR1C1 = "こんにちは！"
a = ActiveCell.Value
```

繰り返し処理（ループ文）の基本 …… 2-2

```
For i = 1 To 10

    ある処理

Next i
```

分岐処理（IF文）の基本 …… 2-3

```
If c = "" Then

    Aの処理

Else

    Bの処理

End If
```

本章では、これら3つのVBAの基本的な書き方を、実際に作りながらマスターしていきます。

2-1 シートからデータを入出力する

本節では、Excelシートのセルからデータを取り込み、他のセルに自動表示する（データを転記する）マクロの基本的な作り方を学びます。

VBAでは、プログラミングの難しい構文を覚えることなく「マクロの記録」をうまく活用することで、誰にでも容易にマクロプログラムを組めます。それが最も良い点であり、マクロ言語の真骨頂といえます。

VBAに限りませんが、プログラムは多くの場合、「入力・処理・出力」という3つの流れで構成されます。このことは、エンジニアの皆さんであればもうご承知かもしれません。

VBAの場合、「マクロの記録」により大抵のコマンドを用いたコードの自動記録はできますが、残念なことに記録ができるのはこの3つの内の「出力」だけに限られます。このことをまず覚えておいてください。

「入力」すなわち、どこかからデータをプログラムに取り込むという行為は、「マクロの記録」では扱うことができません。なぜかというと「マクロの記録」（というコマンドの記録機能）では、何か結果に残る（画面上に変化が生じる）操作（たとえば、「こんにちは、みなさん！」と表示したり、新しいシートを作ったり、などです）をしなければ、コードの記録ができないからです。

だからといって心配はいりません。なぜなら、マクロなりのデータの入力方法があるからです。

VBAでの「入力」とは、「あるセルに表示されているデータを取得すること」となります。これができてしまえば大抵の用は足りてしまいます。つまり、「マクロの記録」で記録したコードを、ほんの1、2行手作業で書き変えてやれば（入力部分だけ補ってやれば）、簡単に作ることができるのです。

ちょっと長く分かりづらい話になってしまいましたので、ここからは具体例で説明しましょう。

さっそく「セルA5のデータを取得して、セルB10に表示する」というデータ転記のマクロを作ってみることにします。

1 まず、マクロの記録を使って簡単なコードを作ってみます。

❶ Excelを起動します（空のExcelを立ち上げてください）。

❷ ［Sheet1］を開いた状態で、［開発］タブの［コード］で［マクロの記録］をクリック→「マクロの記録」画面が出るのでそのまま［OK］をクリックします。

❸ 次にA5のセルを選択し、とりあえず「123」と入力してみてください。

❹ 同様にB10のセルを選択し、「456」と入力します。

	A	B	C	D
1				
2				
3				
4				
5	123			
6				
7				
8				
9				
10		456		
11				
12				
13				

❺ 入力したら、一度Enterキーを押してから、マクロの記録を終了します。[開発]タブの[コード]で[■記録終了]をクリックします。

これでまず、準備段階のマクロが記録できました。

2 実行してみる前に、コードの中身を先にのぞいてみましょう。

❶ まず、[開発]タブの[コード]で[Visual Basic]をクリックして、VBE画面(VBAコードのエディタ)を表示します。

❷ この画面の左上半分の[+標準モジュール]という個所で、+の部分をクリックすると、そのすぐ下に[Module1]と表示されるので、その[Module1]をダブルクリックします。

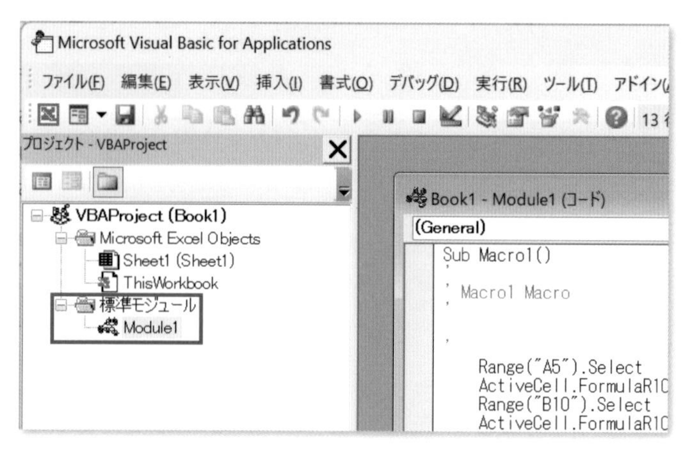


```
Sub Macro1()
'
' Macro1 Macro
'


'
```

```
    Range("A5").Select
    ActiveCell.FormulaR1C1 = "123"
    Range("B10").Select
    ActiveCell.FormulaR1C1 = "456"
    Range("B11").Select
End Sub
```

これが、今作った準備段階のVBAコードです。

3 次に、このコードにちょっと手を加えてみましょう。これが入力部分を補う作業となります。

❶ まず、ActiveCell.FormulaR1C1 = "123" と書いてある行を

```
a = ActiveCell.Value
```

と書き換えてください。

❷ 同じように、ActiveCell.FormulaR1C1 = "456" と書いてある行を

```
ActiveCell.FormulaR1C1 = a
```

と書き換えます。

コードは以下のようになります。

```
Sub Macro1()
'
    Range("A5").Select
    a = ActiveCell.Value
    Range("B10").Select
    ActiveCell.FormulaR1C1 = a
    Range("B11").Select
End Sub
```

4 それでは、実行してみましょう。

❶ まず、Excelの画面に戻って、下のシートタブからまだ何も書いていない空のシート［Sheet2］を新規作成してください。

シート下方の［新しいシート］⊕ボタンをクリックします（すでに［Sheet2］がある場合はこの新規作成は不要です）。

❷ 次に、A5のセルに「987」と入力してみてください。

❸ 入力したら、一度Enterキーを押してから、［開発］タブの［コード］で［マクロ］をクリック→「マクロ」画面が出るのでそのまま［実行］をクリックします。

実行した結果、B10のセルにも 987 と表示されればOKです。

	A	B	C	D	E	F
1						
2						
3						
4						
5	987					
6						
7						
8						
9						
10		987				
11						
12						

これで、「セルA5のデータを取得して、セルB10に表示する」というデータ転記マクロが完成しました。簡単ですね！

実行前に A5のセルに書いた 987 は、数字でなくても（日本語の文字でも）かまいません。試しにA5のセルに「こんにちは」と入力して、もう一度マクロを実行してみてください。今度はB10のセルに こんにちは と表示されます。

コンパイルエラーが出る場合の対処方法

上記のマクロを実行して「コンパイルエラー：変数が定義されていません」というエラー・メッセージが出る場合は、次のように対処します。

❶ コードの一番先頭にある「Option Explicit」という1行を削除します。

❷ このままだと毎回エラーが出ますので、VBE画面で以下の操作を行います（標準設定に戻す操作です）。

［ツール（T）］→［オプション（O）］→オプション画面の［編集］タブの「変数の宣言を強制する」に付いているチェックを外す。

これにより、今回のエラーの原因である「変数宣言の強制」を解除できます。

■ チャレンジ

今作ったコードを以下のように修正してください。
「セルC7のデータを取得して、セルD15に表示する」

ヒント

2つの例題文の違う個所をさがしてみよう。
「セルA5のデータを取得して、セルB10に表示する」
「セルC7のデータを取得して、セルD15に表示する」

もうお分かりですね。答えは、コードの中の"A5"を"C7"に、"B10"を"D15"に書き変えるだけです。

```
Sub Macro1()
'
    Range("C7").Select
    a = ActiveCell.Value
    Range("D15").Select
    ActiveCell.FormulaR1C1 = a
    Range("B11").Select
End Sub
```

それぞれC7とD15に変える

このコードの a は変数です。VBAの変数とは、一般的なプログラムと同様、一時的にデータを入れておくための箱です。ここでは、セルの箱に入っていたデータを取得してプログラム中の変数に入れて一時保管するといった役割をしています。この例では、「C7のセルのデータを取得して、それを変数 a に置いておく」といった処理になります。

これで、あるセルのデータを取得して、ほかのセルに自動的に表示するコードが書けるようになりましたね！短いプログラムですが、これが本章の冒頭で説明したVBAプログラムの3つの流れ「入力・処理・出力」での「入力」と「出力」の2つを扱ったコードの例になります。

変数名のルール

変数名には、英字、数字、日本語文字、アンダーバーが使用できます。ただし、頭文字に数字とアンダーバーは使えません。予約語（VBAではじめから使われている用語）も使えません。また、大文字小文字の区別はありません。

例 Ureage1_Kingaku ←変数に使える
1Ureage_Kingaku ←変数に使えない
_UreageKingaku ←変数に使えない

COLUMN

セルの選択方法

セルを選択するときの方法を以下に示します。入力時に使えますので、こうした選択方法があることを知っておきましょう。

● **セルを選択するときに主に使う3種類（Range, Cells, Offset）の書き方**

```
Range("B2").Select                    '1つのセルの選択
Range("A1", "C3").Select              'セル範囲の選択（A1 ～ C3）
Cells(1, 2).Select                    'セルの選択（B1）
Cells(1, "B").Select                  '同上
ActiveCell.Offset(1, 0).Activate      'セルの移動（縦方向に1つ）
ActiveCell.Offset(0, 1).Activate      'セルの移動（横方向に1つ）
```

● **行選択方法の書き方の例**

```
Range("1:5").Select         '複数行の選択（1行目から5行目まで）
Columns("D:F").Select       '複数列の選択（D列からF列まで）
Range(Columns(3), Columns(5)).Select
                            '複数列の選択（C列からE列まで）
Cells.Select                'すべてのセルを選択する
```

2-2 繰り返し処理(ループ文)の書き方

本節では、プログラミングの基本である繰り返し(ループ)処理の書き方を学びます。

そもそも、Excelマクロの目的である「面倒なExcelのルーチンワークを撃退する」ことは、「面倒な繰り返しの操作を自動化する」ということに他なりません。なので、この繰り返し処理は、Excelマクロを勉強するうえでとても重要です。繰り返し(ループ)処理を制す者がExcelマクロを制すといっても過言ではないでしょう。

まずは、ループの基本形を学びましょう。

最初に、次のコードを見てください。

```
For i = 1 To 10
    ある処理
Next i
```

これは「ある処理」を10回繰り返して行う場合のVBAコードの記述例です。ループ処理の書き方はほかにもいろいろありますが、本書ではこれを繰り返し処理の基本形と定めて説明を進めていきます。

1 マクロの記録を使って簡単なコードを作ってみます。

❶ Excelを起動します(空のExcelを立ち上げてください)。

❷ [開発] タブの [コード] で [マクロの記録] をクリック→「マクロの記録」画面が出るのでそのまま[OK]をクリックします。

❸ 次にB2のセルを選択し、とりあえず「abc」と入力してください。

	A	B	C	D	E	F
1						
2		abc				
3						
4						
5						

❹ 入力したら、一度Enterキーを押してから、[開発] タブの [コード] で [■記録終了] をクリックします。

2 さっそく、今作ったコードの中身を確認してみます。

❶ まず、[開発] タブの [コード] で [Visual Basic] をクリックして、VBE画面 (VBA コードのエディタ) を表示します。

❷ この画面の左上半分の [＋標準モジュール] という個所の＋の部分をクリックすると、そのすぐ下に [Module1] と表示されるので、その [Module1] をダブルクリックします。

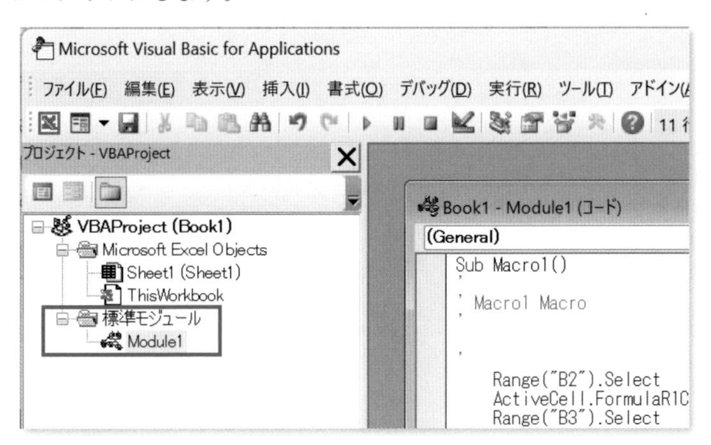

```
Sub Macro1()
'
    Range("B2").Select
    ActiveCell.FormulaR1C1 = "abc"
    Range("B3").Select
End Sub
```

3 次に、このコードにちょっと手を加えてみたいと思います。手作業で繰り返し処理（ループ文）を補うのです。

❶ 冒頭で説明した繰り返し処理の基本形の「ある処理」に相当するのが、「ActiveCell.FormulaR1C1 = "abc"」の部分です。この基本形の前後の2行を追加して（ループ文を補って）次のように書き換えます。

```
    For i = 1 To 10
        ActiveCell.FormulaR1C1 = "abc"
    Next i
```

書き換えた後のコードが以下です。

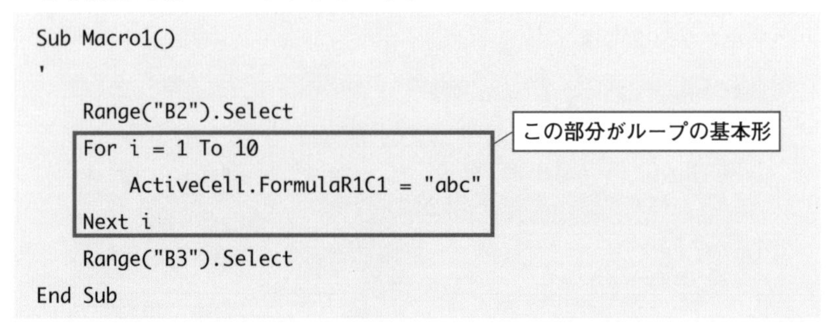

```
Sub Macro1()
'
    Range("B2").Select
    For i = 1 To 10
        ActiveCell.FormulaR1C1 = "abc"
    Next i
    Range("B3").Select
End Sub
```


これは「B2のセルにabcを10回書く」というものです。

字下げ（インデント）の方法

見やすいVBAコードを書くための字下げ（インデント）は、エディタ画面でTABキーを1回押して行います。繰り返し処理の基本形の「ある処理」を書くときなどに使います。

4 それでは、実行してみましょう。

❶ まず、Excelの画面に戻って、下のシートタブからまだ何も書いていない空のシート［Sheet2］を新規作成してください。

下方の［新しいシート］⊕ボタンをクリックします（すでに［Sheet2］がある場合、この新規作成は不要です）。

❷ 実行してみましょう。［開発］タブの［コード］で［マクロ］をクリック→「マクロ」画面が出るのでそのまま［実行］をクリックします。

この結果、B2のセルに「abc」と表示されればOKなのですが、これで本当に10回書かれたのか？については、動作が早すぎて人の目ではなかなか分かりません。

5 そこで、もう少しこのコードに手を加えてみましょう。

❶ 先ほどの「ActiveCell.FormulaR1C1 = "abc"」の行のすぐ下に、次の1行を追加してください。

```
ActiveCell.Offset(1, 0).Activate
```

```
Sub Macro1()
'
    Range("B2").Select
    For i = 1 To 10
        ActiveCell.FormulaR1C1 = "abc"
        ActiveCell.Offset(1, 0).Activate
    Next i
    Range("B3").Select
End Sub
```

この1行を追加する

6 それでは実行してみましょう。

❶ 使うシートは［Sheet2］のままで、［開発］タブの［コード］で［マクロ］をクリック→「マクロ」画面が出るのでそのまま［実行］をクリックします。

どうでしょうか？今度は、このプログラムが10回繰り返されることが（目に見えて）分かる結果になったと思います。

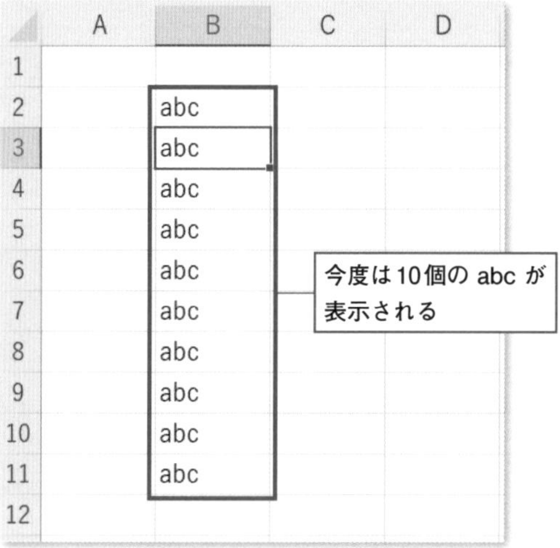

	A	B	C	D
1				
2		abc		
3		abc		
4		abc		
5		abc		
6		abc		
7		abc		
8		abc		
9		abc		
10		abc		
11		abc		
12				

今度は10個の abc が表示される

ちなみに、今追加した行「ActiveCell.Offset(1, 0).Activate」のカッコ内の数字(1, 0)の最初の1は「書き込むセルを縦方向に移動する」という意味です。

なので、このカッコ内の数字(1, 0)を(0, 1)に変えてみると、今度はB2のセルから横方向に10個の abc を書くマクロとなりますし、(1, 1)に変えてみると斜め下方向に10個書くというマクロにもなります。もちろん、この数字は2でも3でも100でも1000でも構いません。

さらには、この数字を -1 にすれば、上方向（または左方向）に移動することもできます。ただし、シートからはみ出してしまうと実行エラーが出ますので、その点にはご注意ください。

2-3 分岐処理の書き方

本節では、プログラミングにおいてもう一つ重要な基本動作である分岐処理の書き方を学びます。前節のループ処理と同様、マクロの処理で欠くことができない分岐処理の基本的な書き方について簡潔に押さえておきましょう。

最初に、次のコードを見てください。

```
If c = "" Then
    Aの処理
Else
    Bの処理
End If
```

これは、変数 c が空なら「Aの処理」をし、そうでなければ「Bの処理」を行う場合の記述例です。本書ではこれを分岐処理の基本形と定めて説明を進めていきます。

1 マクロの記録を使って簡単なコードを作ってみます。

❶ Excelを起動します(空のExcelを立ち上げてください)。

❷ [開発] タブの [コード] で [マクロの記録] をクリック→「マクロの記録」画面が出るのでそのまま [OK] をクリックします。

❸ 次にB2のセルを選択し、とりあえず「111」と入力してください。

❹ 続けてB3のセルを選択し、「222」と入力してください。

	A	B	C	D
1				
2		111		
3		222		
4				

❺ 入力したら、一度Enterキーを押してから、［開発］リボン→［記録終了］と操作し、マクロの記録を終了します。

2 さっそく、今作ったコードの中身を確認してみます。

❶ まず、［開発］タブの［コード］で［Visual Basic］をクリックして、VBE画面（VBAコードのエディタ）を表示します。

❷ この画面の左上半分の［＋標準モジュール］という個所の＋の部分をクリックすると、そのすぐ下に［Module1］と表示されるので、その［Module1］をダブルクリックします。

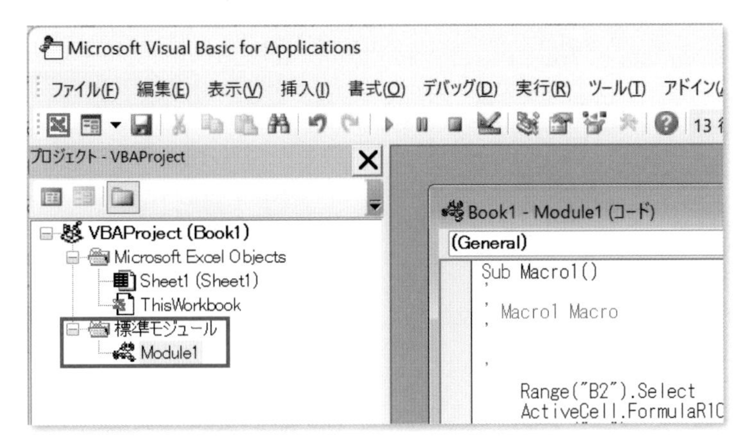

```
Sub Macro1()
'
    Range("B2").Select
    ActiveCell.FormulaR1C1 = "111"
    Range("B3").Select
    ActiveCell.FormulaR1C1 = "222"
    Range("B4").Select
End Sub
```

3このコードにちょっと手を加えてみましょう。手作業で分岐処理を補うのです。

❶ まず、B2のセルのデータを取得して、そのデータを変数 c に入れておくための修正として

```
ActiveCell.FormulaR1C1 = "111"
```

と書いてある行を以下に書き換えます。

```
c = ActiveCell.Value
```

❷ 次に、先ほど説明した分岐処理の基本形の、「Aの処理」と「Bの処理」の個所を書き換えます。

それらに相当するのが、ActiveCell.FormulaR1C1 = "222"の部分です。この部分に分岐処理の基本形をそのまま追加して、次のように書き換えます。

```
If c = "" Then
    ActiveCell.FormulaR1C1 = "222"
Else
    ActiveCell.FormulaR1C1 = "222"
End If
```

❸ 最後にもう一つ、書き換えた"222"の上の方を"nasi" に、下の方を"ari"と書き換えます。

```
Sub Macro1()
'
    Range("B2").Select
    c = ActiveCell.Value
    Range("B3").Select
    If c = "" Then
        ActiveCell.FormulaR1C1 = "nasi"
    Else
        ActiveCell.FormulaR1C1 = "ari"
    End If
    Range("B4").Select
End Sub
```

この部分が分岐の基本形

このプログラムは、分岐処理の基本形における、
「Aの処理」の部分が「ActiveCell.FormulaR1C1 = "nasi"」、
「Bの処理」の部分が「ActiveCell.FormulaR1C1 = "ari"」、
となります。

この分岐条件は「B2のセルが空欄か否か」です。

4 それでは、実行してみましょう。

❶ まず、Excelの画面に戻って、下のシートタブからまだ何も書いていない空のシート［Sheet2］を新規作成してください。下方の［新しいシート］⊕ボタンをクリックします（すでに［Sheet2］がある場合は、この新規作成は不要です）。

❷ 次のようにして実行します。［開発］タブの［コード］で［マクロ］をクリック→「マクロ」画面が出るのでそのまま［実行］をクリックします。

今はB2のセルが空なので、B3のセルに nasi と表示されればOKです。

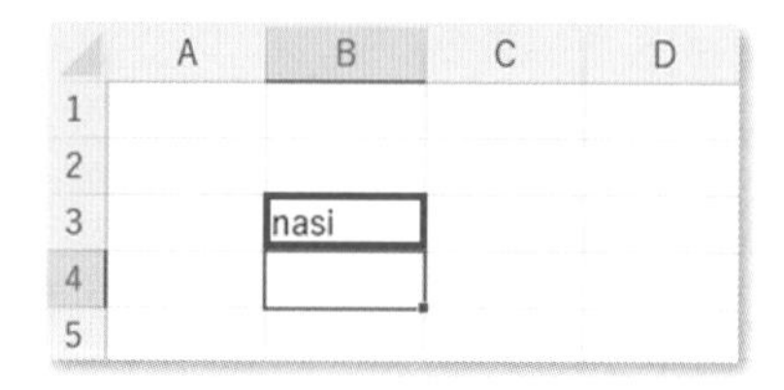

5 確認のため再び実行してみましょう。

❶ シートは先程と同じ［Sheet2］のB2のセルに「abc」と入力してください。

❷ 入力したら、一度Enterキーを押してから、［開発］タブの［コード］で［マクロ］をクリック→「マクロ」画面が出るのでそのまま［実行］をクリックします。

どうでしょう？今度はB2のセルが空ではないので、B3のセルに ari と表示されればOKです。

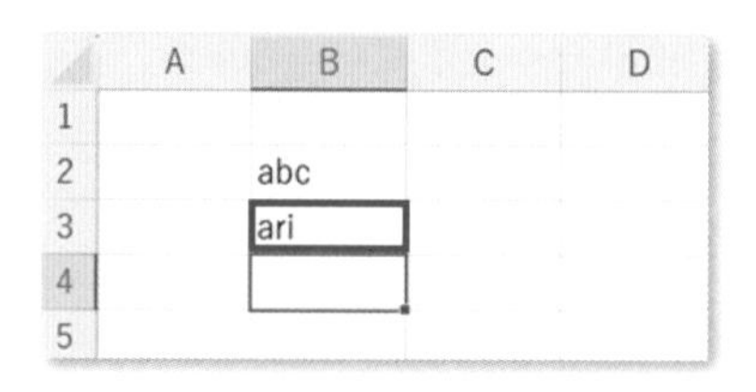

分岐（IF文）条件式の書き方の例

次のようにして分岐条件を記述します。

```
If a > 100 Then
If a <= 100 Then
If a <> 100 Then
```

複合条件式（And,Or）の例を以下に示します。

```
If a >= 50 And a <= 150 Then
If a <= 50 Or a >= 150 Then
```

COLUMN ローコードのススメ

最近では、パソコン業務の効率化や自動化を目的とした（いわゆる「ノーコード」を売りにした）RPA等のツールが注目されています。時間のかかるパソコン業務を改善するという意味では、「ローコード」のマクロ（Excel VBA）もノーコードのRPAも、目的はさほど変わりありません。しかし、ノーコードを謳うツールとマクロのプログラミングとでは、同じ自動化でもその本質はまったく異なります。

エンジニアの皆さんはご承知だと思いますが、コンピュータを動かす唯一無二の手段はプログラムです。プログラムがないとパソコンやスマホやタブレットなどのコンピュータはただの箱に過ぎません。コンピュータに仕事をさせるためにノーコードを謳うツールを利用する、それはコンピュータを意のままに使いこなしているようで実は、そのツールを作った誰かに使われているだけに過ぎないのです。言い換えれば、他人の作ったソフトやツールの使い方（操作方法）を一生懸命に覚えさせられているだけです。それだったら、Excelのマクロ（VBAプログラミング）を覚えて、自分の指示どおりの動作をさせるほうが、より短時間で自動化はできると思います。

一方、VBAは、オブジェクト指向型（いわゆる「ハイコード」）の難しい概念を用いたコードも作れるわけですが、基本的にマクロ（一般のユーザーが独自の機能拡張をするための手段であるプログラム）は、一般にローコードで作れます。ハイコードとは違ってローコードは、難しい文法の基礎からみっちりと勉強しなくてすみますから、昔のBasic言語のように手軽に始められます。本書で、緩めのローコードの勉強だけして、より楽な方法でマクロを組んで自分の思いどおりにコンピュータに仕事をさせる術を覚えていただけたら幸いです。

シートとブックの操作

皆さんご承知のとおり、Excelをはじめとする表計算ソフトで特徴的な基本要素は、「セル」と「シート」です。加えて、Excelの保存ファイルである「ブック」があります。Excelは、これらの「セル」「シート」「ブック」の3要素で構成されているといえます。

前章では「セル」の簡単な操作方法を学習しました。本章では「シート」と「ブック」を自動操作するマクロについて学習していきます。プログラミングのロジック（繰り返しや分岐などを含むプログラム全体の処理の組み立て方）には強いであろうエンジニアの皆さんが、Excel VBAでセルやシート、ブックの操作が自動化できるようなったら、もう怖いものなしです。

さっそく学んでいきましょう。

3-1 シートを別のファイルに保存する

本節では、「シートを別ファイルに移動する（シートをコピーして別ファイルとして保存する）」方法を通じて、マクロでシートを操作するための基本事項を学びます。

1 まずは、コピー元となるシートを用意します。

❶ Excelを起動します（空のExcelを立ち上げてください）。シートが1つのみの場合は、あらかじめ新規にシートをあと2つ（[Sheet2]と[Sheet3]）作成しておいてください。

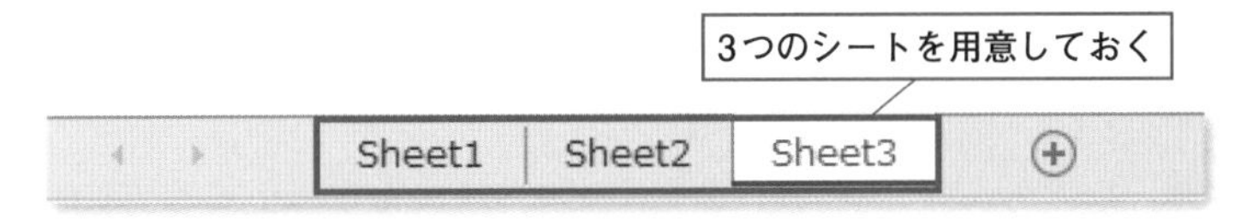

❷ シート[Sheet1]のA1のセルに「111」と入力してください。

❸ そのシート[Sheet1]のシート名を「大谷建設」に変更します。シート名の変更方法は、シートタブを右クリック→名前の変更（R）や、シートタブをダブルクリックして直接変更するなど、やり慣れた方法で行ってください。

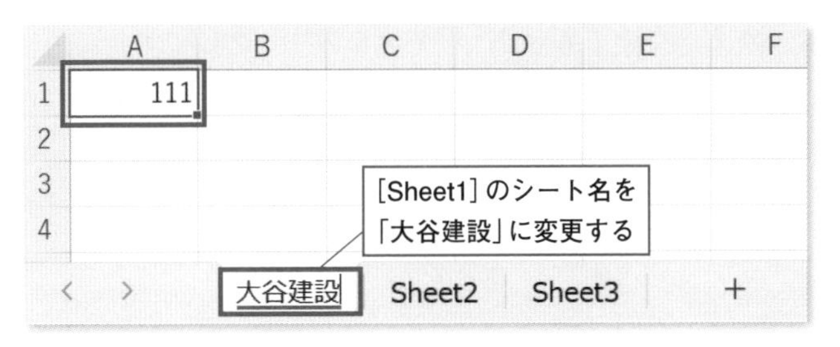

❹ 次に、シート［Sheet2］のA1のセルを選択し、「222」と入力してから、そのシート名を、「村上重機」に変更します。

❺ さらに、シート［Sheet3］のA1のセルを選択し、「333」と入力してから、そのシート名を、「吉田建材」に変更します。

	A	B	C	D	E	F
1	333					
2						
3						
4						

< > 大谷建設 村上重機 吉田建材 +

2 次に、マクロの記録を使って簡単なマクロを作っていきます。

❶ まず、最初のシート（一番左側）の［大谷建設］を開いてから、［開発］タブの［コード］で［マクロの記録］をクリック→「マクロの記録」画面が出るので、そのまま［OK］をクリックします。

❷ 次に、以下の操作にて、このシートを新しいブックにコピーします。
［大谷建設］のシートタブを右クリック→［移動またはコピー（M）…］→「シートの移動またはコピー」画面の［移動先ブック名（T）］のプルダウンから（新しいブック）を選択し、下方の［コピーを作成する（C）］にチェックを入れてから、その下の［OK］ボタンをクリックします。

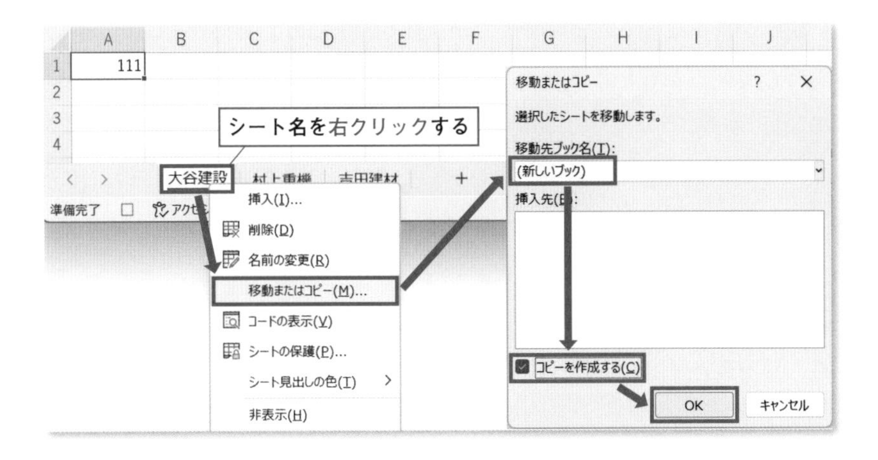

❸ 新しくできたブック［Book2］を、適当なフォルダに名前を付けてファイル保存します。

［ファイル］メニュー→［名前を付けて保存］→「名前を付けて保存」画面で［ファイルの種類（T）：］に「Excelブック（*.xlsx）」が選ばれているのを確認し、［ファイル名（N）：］を「大谷建設」としてから［保存］ボタンをクリックします。このExcelファイルはマクロを含まない（データだけの）ファイルとなりますので、ファイルの種類は拡張子.xlsxです。

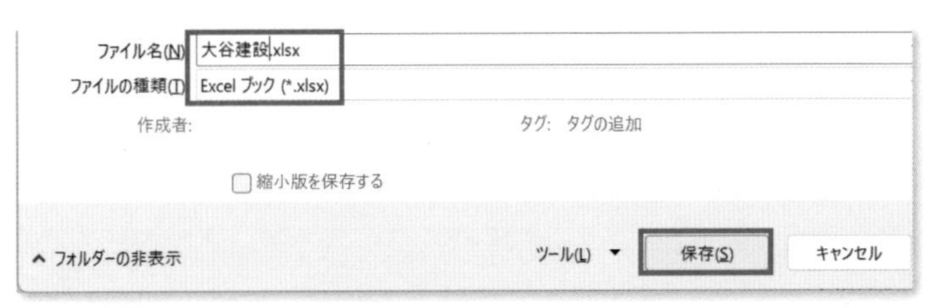

❹ 保存できたら、このブックを閉じます。［ファイル］メニュー→［閉じる］をクリックします（画面右上の×（閉じる）でも可）。

❺ 最後に、［開発］タブの［コード］で［■記録終了］をクリックして、マクロの記録を終了します。

説明が長くなってしまいましたが、皆さんもこうした操作をふだんから実行しているかもしれません。ここまでは、そうした単純作業を「マクロの記録」を使って記録しただけです。

3 それでは、今作ったコードの中身をのぞいてみましょう。

❶ [開発] タブの [コード] で [Visual Basic] をクリックします。すると、もう見なれたVBE画面が表示されたと思います。

❷ いつものように、VBE画面の左上半分の [+標準モジュール] という個所の+の部分をクリックします。すると、そのすぐ下に [Module1] と表示されるので、その [Module1] をダブルクリックします。

表示されたコードはちょっと複雑そうにも見えますが、実質的な中身は「シートをコピーする、ファイルを保存する、ファイルを閉じる」という簡潔なものです。

なお、最初の「Sheets("**大谷建設**").Select」と「ChDir…」については無くても問題ない（念のため書かれている）ものなので無視してください。後ほど削除します。

VBAでは行の最後が「 _」（半角のスペース+アンダーバー）で終わる場合、その行が次の行にも続くということを意味します。なので、このコードの場合、「ActiveWorkbook.SaveAs Filename:= _」から「, CreateBackup:=False」までは1つの行という扱いになります（見た目上、横に長くなってしまうので「マクロの記録」の機能が気をきかせて改行してくれているだけです）。

```
Sub Macro1()
'
' Macro1 Macro
'
    Sheets("大谷建設").Select
    Sheets("大谷建設").Copy
    ChDir "C:¥Users¥santaro¥Documents"
    ActiveWorkbook.SaveAs Filename:="C:¥Users¥santaro¥Documents¥
大谷建設.xlsx", _
        FileFormat:=xlOpenXMLWorkbook, CreateBackup:=False
    ActiveWindow.Close
End Sub
```

半角の「空白＋アンダーバー」は長い1行での途中改行を示す

改行してますがコード上は1行です（以下同）

この少々長い行において、必要なのは冒頭の「ActiveWorkbook.SaveAs…」から「…**大谷建設**.xlsx"」までだけです。また、「"C:¥Users¥santaro¥Documents¥」は、コピー先のファイル保存場所にあたるフォルダのパス名です。この部分は当然ながら、Windowsのバージョンやログインユーザー名など個別のパソコン環境によって違ってきます。なので、「マクロの記録」で記録されたコードに表記された**パス名の部分はそのままにしておいて（変更はしないで）**ください。

そのあとの「大谷建設.xlsx"」は、先ほど保存したときに付けたファイル名ですので、これは全員が必ず同じ表記となります。

4 このコードにちょっと手を加えてみたいと思います。

❶ まず、先ほど紹介した不要な2行（以下）を削除してください。

```
Sheets("大谷建設").Select
ChDir "C:¥Users¥santaro¥Documents"
```

（"　"内はパソコン環境で異なりますが気にせず削除してください）

❷ 次に、長い行の必要のない部分をばっさり削除してしまいます。

「…¥ **大谷建設**.xlsx"」の次のカンマ"「,」から以降（最後は「CreateBackup:=False」まで。つまり、「ActiveWorkbook.Close」の上の行全体）をDeleteキーで削除してください。

❸ そうしたら、社名部分「Sheets("**大谷建設**").Copy」の行の「**大谷建設**」を次のように「**村上重機**」に書き換えます。

「Sheets("**大谷建設**").Copy」→「Sheets("**村上重機**").Copy」

❹ 同じく、「"C:¥Users¥santaro¥Documents¥**大谷建設**.xlsx"」の行の「**大谷建設**」を「**村上重機**」に書き換えます。

「…¥**大谷建設**.xlsx"」→「…¥**村上重機**.xlsx"」

先ほど述べたように「"C:¥Users¥santaro¥Documents」はパソコン環境によって異なります。

書き変えた後のコードは次のようになります。

```
Sub Macro1()
'
    Sheets("村上重機").Copy
    ActiveWorkbook.SaveAs Filename:="C:¥Users¥santaro¥Documents¥
村上重機.xlsx"
    ActiveWindow.Close
End Sub
```

5 それでは、実行してみましょう。

❶ Excelの画面に戻ります（開くシートはどれでもかまいません）。

❷ 実行します。［開発］タブの［コード］で［マクロ］をクリック→「マクロ」

画面が出るのでそのまま［実行］をクリックします。

デスクトップの［マイ ドキュメント］などで自分のパソコンの指定した（パス名の）ファイル保存場所のフォルダを開いて、そこに「村上重機.xlsx」という名前のファイルができていることを確認してください。

念のため、そのファイルを開いて、A1のセルに 222 と表示されていることを確認しましょう。

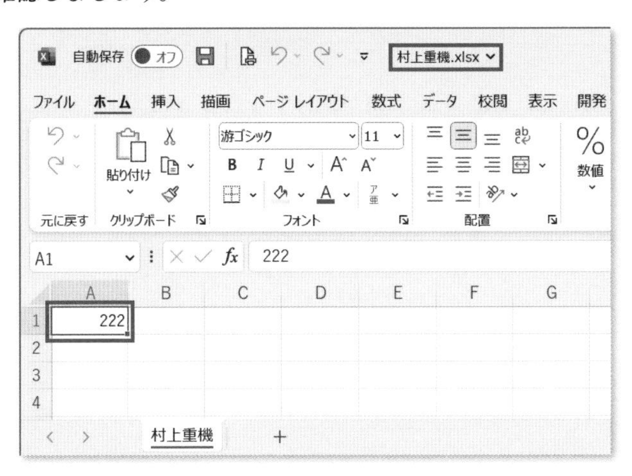

本節でマクロを作成したファイルを保存しましょう。ファイルを閉じて終了するときは、「ファイルの種類」を［Excelマクロ有効ブック（*.xlsm）］にして保存をすることで、作成したVBAのプログラムも一緒にExcelファイルに保存されます。

これ以降、今回保存したこのファイルを「3章_1.xlsm」と称します。

ファイル名(N): 3章_1.xlsm
ファイルの種類(T): Excel マクロ有効ブック (*.xlsm)
作成者:
タグ: タグの追加
縮小版を保存する
フォルダーの非表示
ツール(L)
保存(S)

3-2 シート名をファイル名に設定する

前節の続きとして、シート名を取得し、それを保存するファイル名に自動設定する方法を学びましょう。まずは、前回作成したマクロの入ったExcelのファイル「3章_1.xlsm」をご用意ください。

1 はじめに、前回作ったプログラムを確認します。

❶「3章_1.xlsm」を開きます。黄色い帯のセキュリティ警告が表示されたら、右側の[コンテンツの有効化]ボタンを押して、有効にしてください。

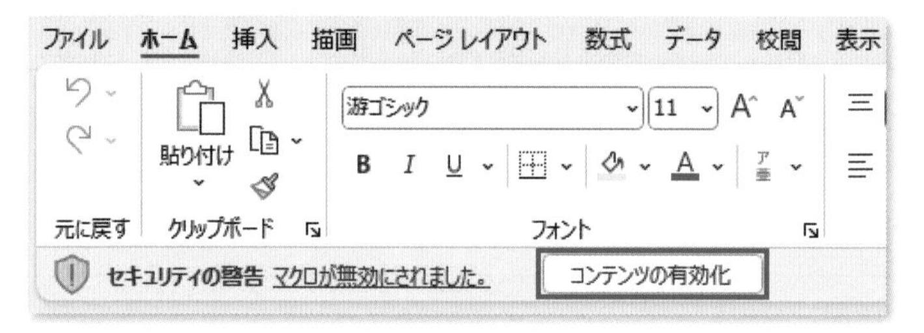

❷ [開発] タブの [コード] で [Visual Basic] をクリックします。すると、前回作成したマクロのコードが表示されます。

```
Sub Macro1()
'
    Sheets("村上重機").Copy
    ActiveWorkbook.SaveAs Filename:="C:¥Users¥santaro¥Documents¥
村上重機.xlsx"
    ActiveWindow.Close
End Sub
```

繰り返しますが、「"C:¥Users¥santaro¥Documents」はパソコン環境によって異なります。

2 それでは、このコードにちょっと手を加えてみましょう。

❶ このコードの最初の行の「Sheets("**村上重機**").Copy」の上に、シート名を取得するための次の1行を追加します。

```
a = CStr(ActiveSheet.Name)
```

❷ 上記によりシート名が変数 a に代入されますので、「Sheets("**村上重機**").Copy」のシート名の"村上重機"を a に変更して「Sheets(a).Copy」と修正します。変数名の前後に" "(ダブルクォーテーション)は付きませんのでご注意ください。

修正後のコードは次のようになります。

```
Sub Macro1()
'
    a = CStr(ActiveSheet.Name)
    Sheets(a).Copy
    ActiveWorkbook.SaveAs Filename:="C:¥Users¥santaro¥Documents¥
村上重機.xlsx"
    ActiveWindow.Close
End Sub
```

大事なので繰り返しますが、今追加したシート名を取得するための1行

```
a = CStr(ActiveSheet.Name)
```

は、現在(マクロ実行時に)開いているシートの名称を変数の a に代入するためのものです。

3 さらにこのコードに手を加えていきます。書き方がちょっと複雑な書き換えになります。

❶ まず、

"C:¥Users¥santaro ¥Documents¥**村上重機**.xlsx"

の行の「**村上重機**.xlsx」だけを削除して

"C:¥Users¥santaro¥Documents¥"

とします。最後の"（ダブルクォーテーション）は消さずに必ず残してください。

❷ 続いて、その行の後ろに変数のaを「+ a」として追記します。

"C:¥Users¥santaro¥Documents¥" + a

修正後のコードは次のようになります。

```
Sub Macro1()
'
    a = CStr(ActiveSheet.Name)
    Sheets(a).Copy
    ActiveWorkbook.SaveAs Filename:="C:¥Users¥santaro¥Documents¥" + a
    ActiveWindow.Close
End Sub
```

修正した個所

この「"C:¥Users¥santaro¥Documents¥" + a」が「パス名(保存する場所)+シート名（保存するファイル名）」を表わしています。何度も繰り返して恐縮ですが、このパス名の部分「"C:¥Users¥santaro¥Documents¥"」についてはパソコン環境によって違ってきます。この部分を上記と同じに修正してしまわないよう、くれぐれもご注意ください。

4 それでは、実行してみましょう。

❶ Excelの画面に戻り、今度はシートの［吉田建材］を開いてください。

❷ 実行しましょう。[開発] タブの [コード] で [マクロ] をクリック→「マクロ」画面が出るのでそのまま [実行] をクリックします。

デスクトップの [マイ ドキュメント] などで自分のパソコンのファイル保存場所のフォルダを開いて、「吉田建材.xlsx」という名前のファイルができていることを確認してください。そのファイルを開いて、A1のセルに 333 と表示されていれば、正しくコピー元のシート [吉田建材] の内容が保存されたことが確認できます。

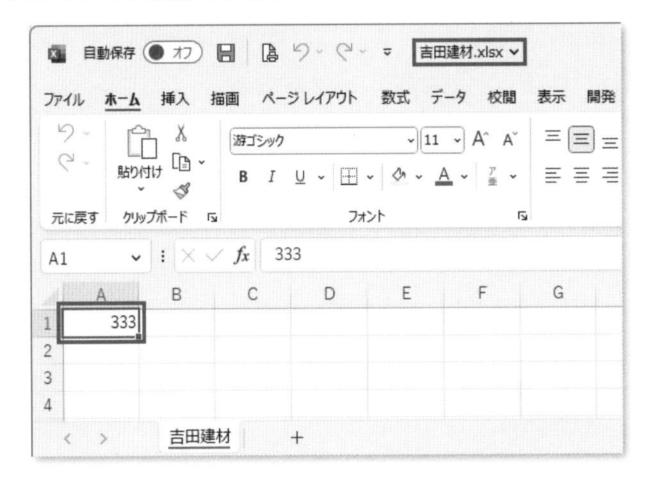

以上で、開いているシート名をファイル名にして自動保存できるようになりました。

ファイルを閉じて終了するときは、「ファイルの種類」を [Excelマクロ有効ブック (*.xlsm)] にて保存してください (以降、今回保存したこのファイルを「3章_2.xlsm」と称します)。

3-3 ファイル名に今日の日付を付加する

前節の続きとして、シート名に今日の日付を付加するマクロを作りましょう。まずは、前回作成したマクロの入ったExcelのファイル「3章_2.xlsm」をご用意ください。

1 はじめに、前回作ったプログラムの確認です。

❶「3章_2.xlsm」を開きます。黄色い帯のセキュリティ警告が表示されたら、右側の[コンテンツの有効化]ボタンを押してください。

❷［開発］タブの［コード］で［Visual Basic］をクリックします。すると、マクロプログラムの画面が表示されます。

```
Sub Macro1()
'
    a = CStr(ActiveSheet.Name)
    Sheets(a).Copy
    ActiveWorkbook.SaveAs Filename:="C:¥Users¥santaro¥Documents¥" + a
    ActiveWindow.Close
End Sub
```

繰り返しますが、「"C:¥Users¥santaro¥Documents¥"」は個々のパソコン環境によって違ってきます。

前回に作成したこのコードは、「開いているシートをコピーして"シート名"を付けた別ファイルに保存する」というものでした。今回は、このコードに手を加えて、「シート名」+「今日の日付」が付いたファイル名で保存するようにします。

2 それでは、このコードに手を加えていきましょう。

❶ コードの最初の行「a = CStr(ActiveSheet.Name)」の上に「今日の日付」を取得するための次の1行を追加します。

```
b = Date
```

❷ 次に、保存するファイル名を「シート名」+「今日の日付」としたいので、ファイル名を定義する部分で、次のように、「+ a」の後に「+ b」を追加します。

```
"C:¥Users¥santaro¥Documents¥" + a + b
```

修正後のコードは次のようになります。

```
Sub Macro1()
'
    b = Date
    a = CStr(ActiveSheet.Name)
    Sheets(a).Copy
    ActiveWorkbook.SaveAs Filename:="C:¥Users¥santaro¥Documents¥"
+ a + b
    ActiveWindow.Close
End Sub
```

先に追加した「今日の日付」を取得するための1行

```
b = Date
```

は、Date 関数を使って変数 b に本日の日付（年月日）を代入しています。この場合の「本日」は、皆さんが現在使っているパソコンの時計での日付です。

③ それでは、実行してみましょう。

❶ Excelの画面に戻り、シートの［吉田建材］を開いてください。

❷ さっそく実行します。［開発］タブの［コード］で［マクロ］をクリック→「マクロ」画面が出るのでそのまま［実行］をクリックします。

すると、おやおや？　「型が一致しません。」という実行時エラーの画面が出たと思います。ここでは「終了」ボタンを押してください。

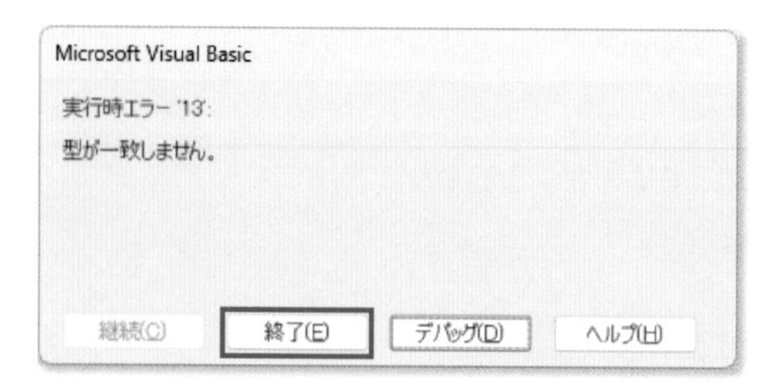

もし、誤って「デバッグ」というボタンを押してしまった場合は、コードの一部が黄色くなっているので、上のリセットボタン（■のマーク）を押してデバッグモードを終了してください（黄色のマーカーも消えます。）

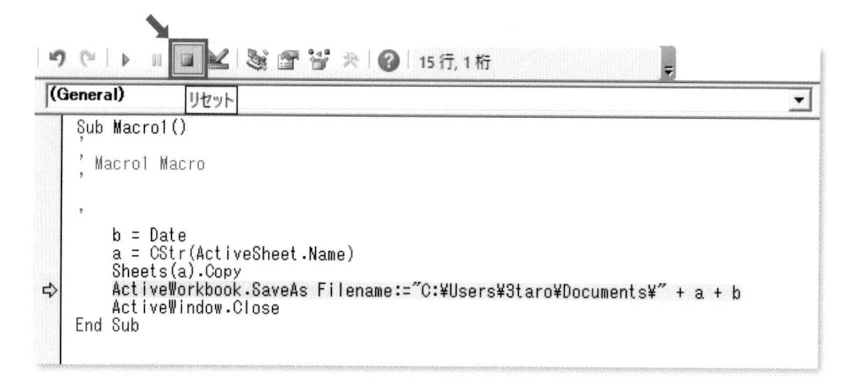

エラーが出た理由を説明します。Date関数は、本日の日付を"2023/03/30"という書式で返してくれるものだからです。Windowsの場合、ご承知のようにファイル名には使用のできない記号があります（たとえば、: ¥ / * < などです）。なので、"2023/03/30"の"/"という文字はファイル名に使用できなくて、ここで実行エラーが表示されたわけです。

4 このエラーが出なくなるようにコードを修正していきます。

❶ コードの画面に戻って、先ほど追加した「b = Date」を、次のように修正します。

```
b = Format(Date, "_yyyy_mm_dd")
```

修正後のコードは次のようになります。

```
Sub Macro1()
'
    b = Format(Date, "_yyyy_mm_dd")
    a = CStr(ActiveSheet.Name)
    Sheets(a).Copy
    ActiveWorkbook.SaveAs Filename:="C:¥Users¥santaro¥Documents¥"
+ a + b
    ActiveWindow.Close
End Sub
```

ここでは、Format 関数というものを使って、変数 b に代入する「今日の日付」の書式を、以下のように変えています。

"2023/03/30"　→　"_2023_03_30"

これは、年月日の区切り文字に、Windowsのファイル名でも使うことができる「_」（アンダーバー）を用いるように修正したものです。

この Format 関数は、VBAのプログラムを作る際によく使う標準関数ですので、覚えておくと便利です。

5 それでは、実行してみましょう。

❶ Excelの画面に戻ります。先ほどの実行エラーでBook1が開いた状態になっていると思います。このBook1は不要なので破棄して（保存せずに閉じて）ください。誤ってマクロの入っている元の 3章_2.xlsm の方を保存せずに閉じてしまわないようご注意ください。

❷「3章_2.xlsm」のシートの［吉田建材］を開いた状態で、実行します。

［開発］タブの［コード］で［マクロ］をクリック→「マクロ」画面が出るのでそのまま［実行］をクリックします。

［スタート］メニューの［ドキュメント］などで自分のパソコンの指定したファイル保存場所のフォルダを開いてみて、「吉田建材_2023_03_30.xlsx」という名前のファイルができていることを確認してください（ただし、日付の2023_03_30の部分は実行した日の日付になります）。

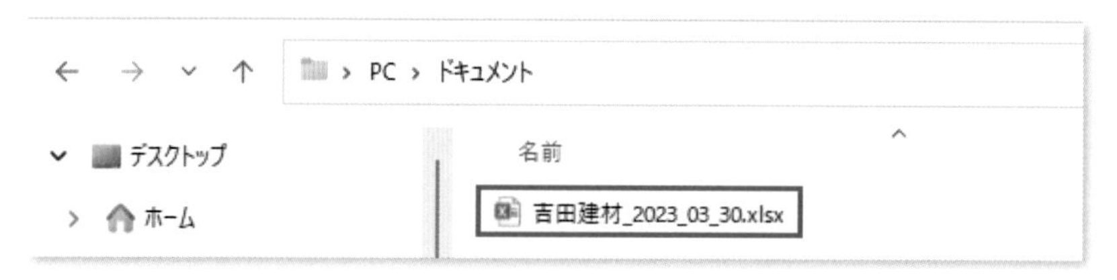

ちなみに、コード中の"_yyyy_mm_dd"は、通常のExcelでの書式定義と同じ意味になります。参考までに例を挙げましょう。コピー先のファイル名を「吉田建材2023年03月30日.xlsx」という形式にしたい場合は、先ほど修正した行の"_yyyy_mm_dd"を次のように修正します。

```
b = Format(Date, "yyyy年mm月dd日")
```

Formatを用いた日付の書き方の例

Format関数を使った日付の指定方法を紹介します。

```
Format(Date, "yyyy/mm/dd")
                    → "2023/03/30"(デフォルトの/区切り)
Format(Date, "yyyy_mm_dd")
                    → "2023_03_30"(ファイル名にも使える_区切り)
Format(Date, "yyyy年mm月dd日")
                    → "2023年03月30日"(西暦表示)
Format(Date, "yy年mm月dd日")
                    → "23年03月30日"(西暦2桁表示)
Format(Date, " ggge年mm月dd日")
                    → "令和5年03月30日"(和暦表示)
Format(Date, " mm月dd日aaaa")
                    → "03月30日木曜日"(曜日表示)
```

ファイルを閉じて終了するときは、「ファイルの種類」を［Excelマクロ有効ブック(*.xlsm)］にて保存してください(以降、今回保存したこのファイルを「3章_3.xlsm」と称します)。

3-4 シートを連続で自動処理する

前節では、シートを開いて実行するとそのシートの「シート名＋今日の日付」の名称で自動的にファイルを保存できるマクロを作成しました。今回はこのマクロを、すべてのシートを1回の実行で一括処理するマクロへと発展させていきます。

まずは、前回作成したマクロの入ったExcelのファイル「3章_3.xlsm」をご用意ください。

1 はじめに、前回作ったコードの確認です。

❶「3章_3.xlsm」を開きます。黄色い帯のセキュリティ警告が表示されたら、右側の[コンテンツの有効化]ボタンを押してください。

❷[ツール(T)]→[マクロ(M)]→[Visual Basic Editor(V)]すると、前回作成したマクロのコードが表示されます。

```
Sub Macro1()
'
    b = Format(Date, "_yyyy_mm_dd")
    a = CStr(ActiveSheet.Name)
    Sheets(a).Copy
    ActiveWorkbook.SaveAs Filename:="C:¥Users¥santaro¥Documents¥"
+ a + b
    ActiveWindow.Close
End Sub
```

くどくて恐縮ですが、「"C:¥Users¥santaro¥Documents¥"」は、個々のパソコン環境によって違ってきます。

前回に作成したこのプログラムは、「今開いているシートをコピーして シート名 + 今日の日付 を付けた別ファイルに保存する」というものでした。今回は、このコードにループ処理の機能を追加して、「このブックにあるすべてのシートをコピーして シート名 + 今日の日付 を付けた別ファイルに保存する」というマクロへと機能拡張をしていきます。

2 では、マクロの記録を使ってもう一つ簡単なマクロを作ります。

❶ まず、Excelの画面に戻り、シート［吉田建材］を開いた状態にして「マクロの記録」を開始します。

［開発］タブの［コード］で［マクロの記録］をクリック→「マクロの記録」画面が出るので、そのまま［OK］をクリックします。

❷ 次に、下のシートタブから［大谷建設］をクリックして［大谷建設］のシートを開きます。

❸ ここで、［開発］タブの［コード］で［■記録終了］をクリックして、マクロの記録を終了します。

❹ 再びプログラムが表示されている画面を開き、左上半分の［－標準モジュール］という個所の下にある［Module2］をダブルクリックしてください。

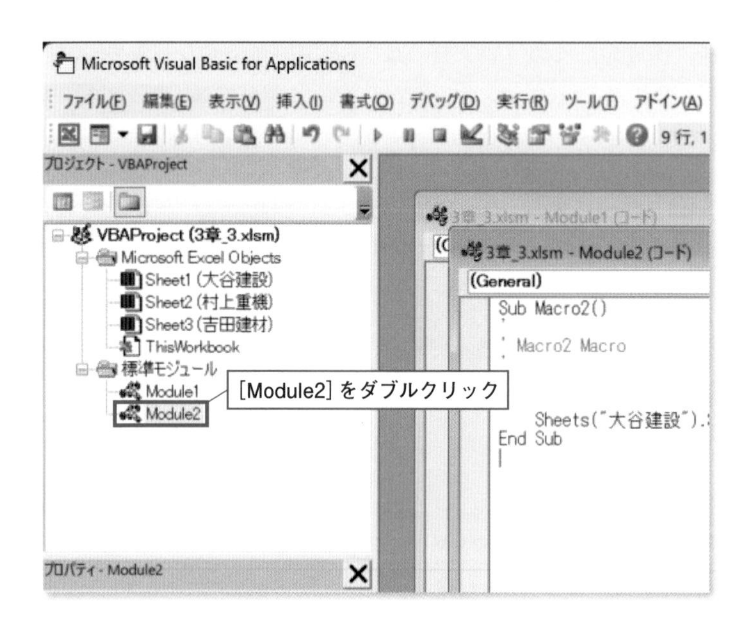

画面右側に、下記のマクロが新たにできていることを確認しましょう。

```
Sub Macro2()
'
    Sheets("大谷建設").Select
End Sub
```

今記録したこのコードは「シートを開く」という1行だけのごく簡単なマクロです。このコードをもとにして、「ループ処理」と「Call文」を使ったプログラムを作っていきます。

3 このコードに手を加えていきます。

❶ まず、「ループ処理の基本形」を使って、この1行の処理を繰り返すようにします。

```
For i = 1 To 10
    Sheets("大谷建設").Select
Next i
```

❷ 次に、

```
Sheets("大谷建設").Select
```

のシート名"大谷建設"を修正して

```
Sheets(Sheets(i).Name).Select
```

とします。

❸ 今修正した行の下に、Macro1を呼び出すための「Call文」

```
Call Macro1
```

を追加します。

❹ 最後に、ループの回数がシートの数になるように「For文」

```
For i = 1 To 10
```

の10の部分を

```
For i = 1 To Sheets.Count
```

というように修正します。

修正した後のコードは次のようになります。

```
Sub Macro2()
'
    For i = 1 To Sheets.Count
        Sheets(Sheets(i).Name).Select
        Call Macro1
    Next i
End Sub
```

最後に修正した「For文」の「Sheets.Count」は、開いているブックの「シートの数」を示す数字を返します。今回のブックには、[大谷建設][村上重機][吉田建材]という3つのシートが存在していますので、Sheets.Count = 3となります。

また、「Call Macro1」は、「Macro1というマクロの処理をMacro2から呼び出して実行する」という意味です。

4 それでは、さっそくこの「Macro2」を実行してみましょう。

❶ Excelの画面に戻り(開くシートは何でもかまいません)、[Macro2]を実行します。

[開発]タブの[コード]で[マクロ]をクリック→「マクロ」画面が出るので、今回はマクロ名に今書き変えた[Macro2]を選択してから[実行]をクリックします(「…置き換えますか?」というメッセージが表示された場合は「はい」を押してください)。

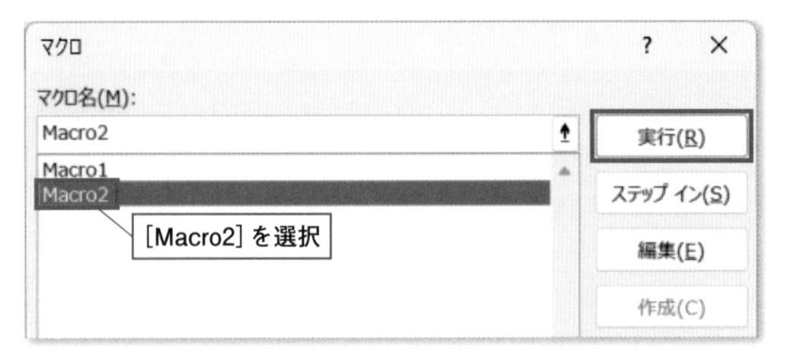

コード中で指定した自分のパソコンのファイル保存場所のフォルダを開いてみて、今日の日付の付いた3つのファイルができていればOKです。

短いプログラムですが、たったこれだけ追加をするだけで、いっぺんに何個でも（何十個でも何百個でも）、すべてのシートをコピーしたファイルを1度のマクロ実行で作成できるようになりました。

■ チャレンジ

今作ったコードを以下のように修正してください。

「取引先用のファイル名（今日の日付＋会社名＋御中）で出力するマクロに変更する」

例 栗山工務店_2023_03_31.xlsx → 20230331栗山工務店御中.xlsx

簡単でしたでしょうか。答えは、次のとおりです。

Macro1のコードで、Format文のカッコ内を変えて、あとはファイル名を指定する部分で日付と会社名を入れ替えて、そこに"御中"（固定の文字列）の敬称を付け加えればよいのです。

```
Sub Macro1()
'
    b = Format(Date, "yyyymmdd")
    a = CStr(ActiveSheet.Name)
    Sheets(a).Copy
    ActiveWorkbook.SaveAs Filename:="C:¥Users¥santaro¥Documents¥"
+ b + a + "御中"
    ActiveWindow.Close
End Sub
```

この例では、あらかじめ"御中"(固定の文字列)を定数(c)に入れておき、

```
c = "御中"
ActiveWorkbook.SaveAs… + b + a + c
```

とすることもできます。

COLUMN Excel VBAは引き継げないから使用禁止？

Excel VBAの場合、よく耳にするのが「マクロを作った担当者が移動や退職でいなくなったら（プログラムが理解できなくなって）困るから、マクロは使用禁止！」という話です。

Pythonがプログラマーに好まれる主な理由は、コードや文法がシンプルでコーディングに個人差が出にくい点があると思います。対してVBAは、人によって書き方はバラバラ、統一感が極めて乏しくなりがちな言語です。個人の癖やレベルの違いが生じやすく、わざと難しい書き方を好む人すら見受けられます。

ですが、本書のように「マクロの記録」に基づいてコーディングしていく方法にすれば、個人差はかなり軽減できます。「マクロの記録」は、誰がやっても（同じ操作なら）同じコードが記録されるからです（Excelのバージョンによる多少の違いはあります）。

「マクロの記録」は余計なコードまで記録されて見づらいから「使うな！」と主張する人もいます。慣れてくれば、余計なコードは自然と無視できるので、見づらいという心配は杞憂だと思います。

「マクロの記録」をベースに職場の皆さんがコーディングをすれば、シンプルかつ統一感のあるプログラムが書けるはずです。であれば、引き継ぎでのトラブルを極力避けられるでしょう。

複数ファイルのデータを結合する

本章では、複数のExcelファイルに分かれて存在している同じ形式の表データを結合して1つのシートにまとめるマクロを作ります。今回も「マクロの記録」を利用して簡単に作る方法を説明していきます。

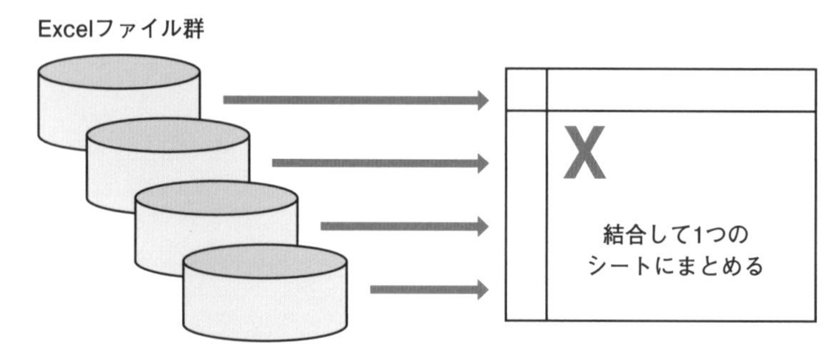

複数のファイル（同じ形式の表データ）を1つのシートにまとめる

本章で利用するサンプルデータの入った複数のExcelファイルを本書のWebページからダウンロードしてください（付録ページを参照）。

■今回のテストデータ格納フォルダ　「data4」（.xlsxファイル6つ）
出典：気象庁ホームページ（https://www.data.jma.go.jp/gmd/risk/obsdl/index.php）

この「data4」のフォルダに、各地点の気象観測データを格納した6つのExcelファイルがあります。

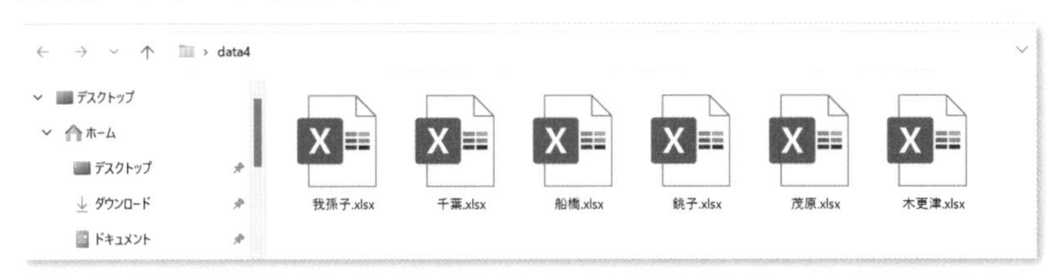

6つのExcelファイルには、各地点の気象観測データが同形式（同じ項目）で入っています。本章では、これらの複数ファイルのデータを1つのシートに「自動で」結合するマクロを作ります。

4-1 自動でファイルを開いてデータを取り込む

サンプルファイルの準備ができたところで、コードの基本部分からさっそく作っていきましょう。

1 マクロの記録を使って、このマクロの土台となるコードを作ります。

❶ Excelを起動します(空のExcelを立ち上げてください)。

❷ マクロの記録を開始します。

[開発]タブの[コード]で[マクロの記録]をクリック→「マクロの記録」画面が出るので、そのまま[OK]をクリックします。

❸ まず、先ほどのサンプルファイルにある「千葉.xlsx」というファイルを、次の操作で開きます。

[ファイル]→[開く]→[参照]→「ファイルを開く」画面でファイルをダウンロードした先のフォルダに移動して、「千葉.xlsx」を選んで[開く]をクリックします。

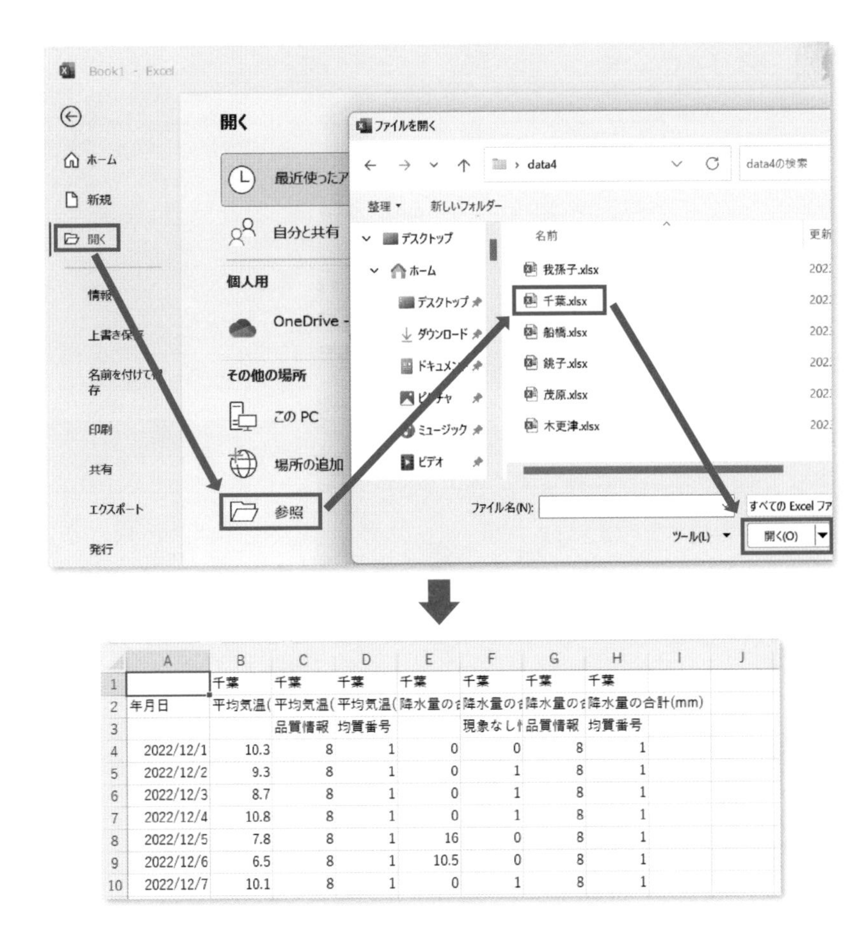

	A	B	C	D	E	F	G	H	I	J
1		千葉	千葉	千葉	千葉	千葉	千葉	千葉		
2	年月日	平均気温(	平均気温(	平均気温(	降水量の合	降水量の合	降水量の合	降水量の合計(mm)		
3			品質情報	均質番号		現象なし情	品質情報	均質番号		
4	2022/12/1	10.3	8	1	0	0	8	1		
5	2022/12/2	9.3	8	1	0	1	8	1		
6	2022/12/3	8.7	8	1	0	1	8	1		
7	2022/12/4	10.8	8	1	0	1	8	1		
8	2022/12/5	7.8	8	1	16	0	8	1		
9	2022/12/6	6.5	8	1	10.5	0	8	1		
10	2022/12/7	10.1	8	1	0	1	8	1		

❹ 今開いた「千葉.xlsx」ファイルにある、見出し行を含む1行目から10行目までの行を選択し、コピー（Ctrl+C）して、元のExcelファイル「Book1」の［Sheet1］のA2のセルに貼り付け（Ctrl+V）してください。

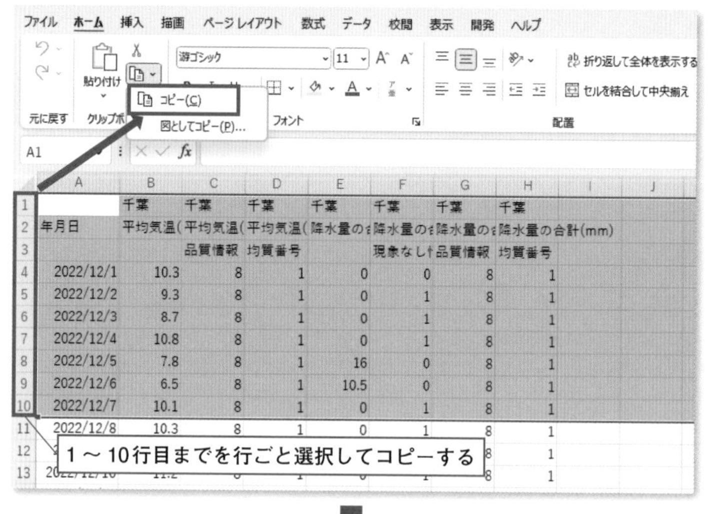

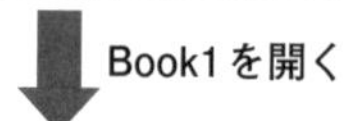

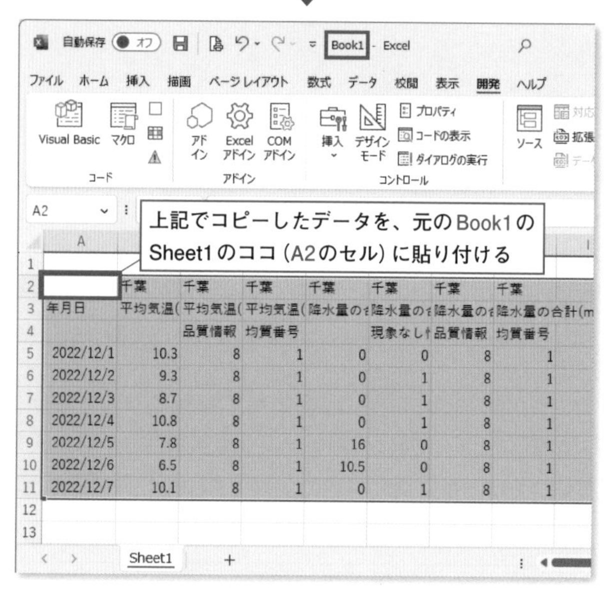

日付に見えない部分がある（######となっている）場合は、A列の幅を少々広げて見てください。

❺ 次に、「千葉.xlsx」を表示して、Escキーを1度押してコピーモード（点線囲いになっている状態）を解除します。

❻ この「千葉.xlsx」ファイルを画面右上の［×］を押してそのまま閉じます。

❼ 最後に、［開発］タブの［コード］で［■記録終了］をクリックして、マクロの記録を終了します。

2 それではもう一つ、再びマクロの記録で今と似たプログラムを作ります。

❶ マクロの記録を開始します。

［開発］タブの［コード］で［マクロの記録］をクリック→「マクロの記録」画面が出るので、そのまま［OK］をクリックします。

❷ まず、先ほどのファイルと同じフォルダにある「木更津.xlsx」ファイルを同じ操作にて開きます。

［ファイル］→［開く］→［参照］→「ファイルを開く」画面で「木更津.xlsx」を選んで［開く］をクリックします。

❸ 開いた「木更津.xlsx」ファイルにある見出し行を含む、今度は1行目から8行目までのデータを選択し、コピー（Ctrl+C）して、元のExcelファイル「Book1」の［Sheet1］の最後のデータがあるA11のセルに貼り付け（Ctrl+V）してください。

	A	B	C	D	E	F	G	H	I
1									
2		千葉	千葉	千葉	千葉	千葉	千葉	千葉	
3	年月日	平均気温(	平均気温(	平均気温(	降水量の合	降水量の合	降水量の合	降水量の合計(m	
4			品質情報	均質番号		現象なし情	品質情報	均質番号	
5	2022/12/1	10.3	8						
6	2022/12/2	9.3	8						
7	2022/12/3	8.7	8	1		1		1	
8	2022/12/4	10.8	8	1	0	1	8	1	
9	2022/12/5	7.8	8	1	16	0	8	1	
10	2022/12/6	6.5	8	1	10.5	0	8	1	
11		木更津	木更津	木更津	木更津	木更津	木更津		
12	年月日	平均気温(	平均気温(	平均気温(	降水量の合	降水量の合	降水量の合計(mm)		
13			品質情報	均質番号		品質情報	均質番号		
14	2022/12/1	10	8	1	0	8	1		
15	2022/12/2	9.3	8	1	0	8	1		
16	2022/12/3	8.5	8	1	0	8	1		
17	2022/12/4	10.7	8	1	0	8	1		
18	2022/12/5	8.3	8	1	19.5	8	1		
19									
20									

コピーしたデータを、元のBook1の
Sheet1のココ（A11のセル）に貼り付ける

❹ 次に、「木更津.xlsx」を表示し、Escキーを1度押してコピーモード（点線囲いになっている状態）を解除してから、この「木更津.xlsx」ファイルを画面右上の［×］を押して閉じます。

❺ 最後に、［開発］タブの［コード］で［■記録終了］をクリックして、マクロの記録を終了します。

3 それでは、今作った2つのプログラムの中身を見てみます。

❶ プログラムの画面（VBE画面）を表示します。
［開発］タブの［コード］で［Visual Basic］をクリックします。

❷ この画面の左上半分の［＋標準モジュール］という個所の＋の部分をク

リックすると、そのすぐ下に［Module1］と表示されるので、その［Module1］をダブルクリックします。

```
Sub Macro1()
'
    ChDir "C:¥Users¥santaro¥Desktop¥data4"
    Workbooks.Open Filename:="C:¥Users¥santaro¥Desktop¥data4¥千葉
.xlsx"
    Rows("1:10").Select
    Selection.Copy
    Windows("Book1").Activate
    Range("A2").Select
    ActiveSheet.Paste
    Windows("千葉.xlsx").Activate
    Application.CutCopyMode = False
    ActiveWindow.Close
End Sub
Sub Macro2()
'
    Workbooks.Open Filename:="C:¥Users¥santaro¥Desktop¥data4¥木更
津.xlsx"
    Rows("1:8").Select
    Selection.Copy
    Windows("Book1").Activate
    Range("A11").Select
    ActiveSheet.Paste
    Windows("木更津.xlsx").Activate
    Application.CutCopyMode = False
    ActiveWindow.Close
End Sub
```

※上記のフォルダパス名の部分「"C:¥Users¥santaro¥Desktop」はご利用のパソコン環境によって異なります。

まずは、上記2つのコード（Macro1とMacro2）を見比べて、その違いを探してみてください。

簡単ですよね！？　違いは次の3か所だけです。

- 「千葉.xlsx」と「木更津.xlsx」……開いたファイル名の違い
- Rows("1:10")とRows("1:8")……コピーしたデータ行の違い
- Range("A2")とRange("A11")……貼り付けたセル位置の違い

なお、Macro1冒頭の「ChDir」(チェンジディレクトリ)は、現在のカレントフォルダを変更するためのものです。これ以降でフルパスでの確実なファイルの在りかを指定しますので、この1行はあってもなくても(削除しても)特に問題はありません。

4 それでは、このコードに少し手を加えてみます([Macro1]を直していきます)。

❶ まず、上の[Macro1]の

「千葉.xlsx」

と書いてある部分(※2カ所ありますので2カ所とも)を

「銚子.xlsx」

に書き換えます(「千葉」の2文字を「銚子」に変更するだけです。)

❷ 次に、[Macro1]の中ほどの

```
Range("A2").Select
```

となっている行を、以下のように書き換えます。

```
Range("A19").Select
```

「A2」の数字の部分を「19」に変更するだけです。

❸ 最後に、[Macro1]の

```
Rows("1:10").Select
```

となっている行を、以下のように書き換えます。

```
Rows("1:15").Select
```

「10」の数字を「15」に変更するだけです。

修正後のMacro1のコードは次のようになります。

```
Sub Macro1()
'
    ChDir "C:¥Users¥santaro¥Desktop¥data4"
    Workbooks.Open Filename:="C:¥Users¥santaro¥Desktop¥data4¥銚子.xlsx"
    Rows("1:15").Select
    Selection.Copy
    Windows("Book1").Activate
    Range("A19").Select
    ActiveSheet.Paste
    Windows("銚子.xlsx").Activate
    Application.CutCopyMode = False
    ActiveWindow.Close
End Sub
```

5 それでは、実行してみましょう。

❶ Excelの画面に戻って、[Sheet1]を開いてください。

❷ では、実行します。

[開発]タブの[コード]で[マクロ]をクリック→「マクロ」画面が出るのでそのまま(Macro1が選ばれた状態で)[実行]をクリックします。

いかがでしょうか？

このシートの先ほどコピーした木更津のデータの下に、「銚子.xlsx」ファイル中の15行目までのデータが並んでいればOKです。

	A	B	C	D	E	F	G	H	I
11		木更津	木更津	木更津	木更津	木更津	木更津		
12	年月日	平均気温(	平均気温(	平均気温(	降水量の合	降水量の合	降水量の合計(mm)		
13			品質情報	均質番号		品質情報	均質番号		
14	2022/12/1	10	8	1	0	8	1		
15	2022/12/2	9.3	8	1	0	8	1		
16	2022/12/3	8.5	8	1	0	8	1		
17	2022/12/4	10.7	8	1	0	8	1		
18	2022/12/5	8.3	8	1	19.5	8	1		
19		銚子	銚子	銚子	銚子	銚子	銚子	銚子	
20	年月日	平均気温(	平均気温(	平均気温(	降水量の合	降水量の合	降水量の合	降水量の合計(mm)	
21			品質情報	均質番号		現象なし情	品質情報	均質番号	
22	2022/12/1	12	8	1	0.5	0	8	1	
23	2022/12/2	11	8	1	0	0	8	1	
24	2022/12/3	10.7	8	1	0	0	8	1	
25	2022/12/4	12.1	8	1	0	1	8	1	
26	2022/12/5	11.3	8	1	22	0	8	1	
27	2022/12/6	8.9	8	1	14.5	0	8	1	
28	2022/12/7	9.6	8	1	0	1	8	1	
29	2022/12/8	10.4	8	1	0	1	8	1	
30	2022/12/9	12.2	8	1	0	0	8	1	
31	2022/12/10	11.7	8	1	5	0	8	1	
32	2022/12/11	11.3	8	1	0	0	8	1	
33	2022/12/12	10.5	8	1	0	0	8	1	
34									

このように、記録したコードを簡単に修正するだけで、複数ファイルからデータを取り込んでいくプログラムの土台ができました。

ここでのコツは、修正する部分について、今回操作したように、「マクロの記録」を２回実行してできたコードの中身を見比べる、ことです。

「マクロの記録」の賢い利用法のコツ

「マクロの記録」を2回実行し、できたコードの中身を見比べてみよう。それにより、変更すべき個所を理解できます。

まずは、以上で終了です。ファイルを閉じて終了するときは、「ファイルの種類」を［Excelマクロ有効Excelファイル（*.xlsm）］にして保存してください。以降、今回保存したこのファイルを「Lesson4.xlsm」と称します。

※なお、以降の学習をこのまま続ける場合にも、説明の都合上ここでいったんファイルを保存し、Excelを閉じたと仮定して、次の説明に移ります。

4-2 最後の行の下に次のデータを追加する

前節では、マクロの記録で作った2つのコードを見比べて、修正すべき部分に見当を付けるところまでを行いました。今回は、修正すべき部分をさらに見て、直していきます。

最初に、今回用いる構文を予習しましょう。シート最終行の次の行にデータを追加する（シートの一番下にデータを挿入する）方法について説明します。

	A	B	C	D	E	F	G	H	I
58	2022/12/7	9.6	8	1	0	1	8	1	
59	2022/12/8	10.4	8	1	0	1	8	1	
60	2022/12/9	12.2	8	1	0	0	8	1	
61	2022/12/10	11.7	8	1	5	0	8	1	
62	2022/12/11	11.3	8	1	0	0	8	1	
63	2022/12/12	10.5	8	1	0	0	8	1	
64									
65									
66									
67									

← この行から追加する

次のようなVBA構文を使います。

例
```
n = Cells(Rows.Count,"B").End(xlUp).Row
```

この例は、B列の最後の行が何行目なのか？を調べられる、VBAで定番の一文です。少し長くて複雑な構文ですので、覚える必要はまったくありません。一度書いたら、それ以降は使い回して使うと便利です。

この文のポイントは、最初の(　)の中の"B"の部分だけです。C列ならここを"C"に、F列なら"F"に、変更して使い回せばよいのです。これにより、指定した列でデータのある最後の行番号が取得できます。列によってデータ数が異なる場合に、簡単に対応できます。

列名は数字でも表せます。次の2つの例を見比べてください。

```
例 n = Cells(Rows.Count,"F").End(xlUp).Row
例 n = Cells(Rows.Count, 6).End(xlUp).Row
```

上の例なら、F列の最後の行位置が変数 n に格納されます。下の例では、数字(6)で列を指定しています。

この構文の最後に「 + 1 」を付けることで、データがある最後の行の次の行(空白の行)を指し示すことができます。

```
例 n = Cells(Rows.Count,"B").End(xlUp).Row      'B列の最終行の行番号
                                        ↓
   n = Cells(Rows.Count,"B").End(xlUp).Row + 1 'B列の最終行の次の行番号
```

これにより、データのある行の次の行から、データを簡単に追加できます。データを追加する場合、「+1」を付け忘れてしまうと、データのある最終行が上書きされて消えてしまいます。その点にご注意ください。

ちなみに、上記例での前者が、前節でのデータの貼り付け位置（最終行を上書き）になります。

それでは、上記の構文を使ってコードを変更していきましょう。前回作成したExcelファイル「Lesson4.xlsm」をご用意ください。

1 はじめに、前回作ったプログラムの確認です。

❶「Lesson4.xlsm」を開きます。黄色い帯のセキュリティ警告が表示されたら、右側の[コンテンツの有効化]ボタンを押してください。

❷［開発］タブの［コード］で［Visual Basic］をクリックします。すると、

前回作成したマクロのコードが表示されます。

```
Sub Macro1()
'
    ChDir "C:¥Users¥santaro¥Desktop¥data4"
    Workbooks.Open Filename:="C:¥Users¥santaro¥Desktop¥data4¥銚子
.xlsx"
    Rows("1:15").Select
    Selection.Copy
    Windows("Book1").Activate
    Range("A19").Select
    ActiveSheet.Paste
    Windows("銚子.xlsx").Activate
    Application.CutCopyMode = False
    ActiveWindow.Close
End Sub
```

※この下方にあるMacro2の方は、比較検討用に一時的に作ったものです。以後使いませんので省略します。

2 それでは、このコードに手を加えます。

❶ 前回の最後でこのExcelファイルに名前を付けて保存しました。それをコードに反映します。コード上ではまだデフォルト名の"Book1"となっている次の個所を見てください。

```
Windows("Book1").Activate
```

カッコ内を、ファイルの名称に合わせて

```
Windows("Lesson4.xlsm").Activate
```

に変更します。

❷ 次に、今修正した行と次のRange("A19").Selectの行の間に、先ほど予習したシート最終行の次の行にデータを追加するための構文を追加します。

```
n = Cells(Rows.Count,"A").End(xlUp).Row + 1
```

❸ 最後に、

```
Range("A19").Select
```

の行のカッコ内を以下のように修正します。

```
Range("A"& n).Select
```

修正した後のコードは次のようになります。

```
Sub Macro1()
'
    ChDir "C:¥Users¥santaro¥Desktop¥data4"
    Workbooks.Open Filename:="C:¥Users¥santaro¥Desktop¥data4¥銚子
.xlsx"
    Rows("1:15").Select
    Selection.Copy
    Windows("Lesson4.xlsm").Activate
    n = Cells(Rows.Count,"A").End(xlUp).Row + 1
    Range("A"& n).Select
    ActiveSheet.Paste
    Windows("銚子.xlsx").Activate
    Application.CutCopyMode = False
    ActiveWindow.Close
End Sub
```

3 それでは、実行してみましょう。

❶ Excelの画面に戻り、開くシートはそのまま（前回のデータが入ったSheet1のまま）でOKです。

❷ 実行します。[開発]タブの[コード]で[マクロ]をクリック→「マクロ」画面が出るのでそのまま（Macro1が選ばれた状態で）[実行]をクリックします。

❸ 念のためもう一度、実行します。[開発]タブの[コード]で[マクロ]をクリック→「マクロ」画面が出るのでそのまま(Macro1が選ばれた状態で)[実行]をクリックします。

どうでしょうか？

実行するたびに、シート最終行の次の行から「銚子.xlsx」のデータが追加されたことが確認できればOKです。

Excel VBAの重要構文(データの最後の行を取得する)

エンジニアが扱うExcelのデータは、縦に長くなりがちです。しかも、データが何行あるか分からない(そのつど違ってくる)、データ数が可変の場合がほとんどかと思います。今回説明した次の1行は特に重要な(よく使う)構文です。

```
n = Cells(Rows.Count,"B").End(xlUp).Row
```

(B列の最後の行を取得してnに入れるコードです)

本節はこれで終了です。このファイル「Lesson4.xlsm」を保存して、いったんExcelを閉じてから、次へ進みましょう。

4-3 コピーする元データの範囲を指定する

前節は、データを追加する際の貼り付け位置について学習しました。コピー先のデータ数は可変（そのつど変わる）で、かつ、データの貼り付け位置を知る方法を説明しました。

本節は、コピーする元データの行を指定する方法について説明します。コピー元データの行数が可変（そのつど変わる）の場合に対応するコードにしていきます。

それでは、前回作成したExcelファイル「Lesson4.xlsm」をご用意ください。

1 はじめに、前回作ったプログラムの確認です。

❶「Lesson4.xlsm」を開きます。黄色い帯のセキュリティ警告が表示されたら、右側の［コンテンツの有効化］ボタンを押してください。

❷［開発］タブの［コード］で［Visual Basic］をクリックします。すると、前回作成したマクロのコードが表示されます。

```
Sub Macro1()
'
    ChDir "C:¥Users¥santaro¥Desktop¥data4"
    Workbooks.Open Filename:="C:¥Users¥santaro¥Desktop¥data4¥銚子
.xlsx"
    Rows("1:15").Select
    Selection.Copy
    Windows("Lesson4.xlsm").Activate
    n = Cells(Rows.Count,"A").End(xlUp).Row + 1
    Range("A"& n).Select
    ActiveSheet.Paste
    Windows("銚子.xlsx").Activate
    Application.CutCopyMode = False
    ActiveWindow.Close
End Sub
```

今回修正するのは、主に上記の赤線部分です。

[2] それでは、コードにちょっと手を加えてみましょう。

❶ まず、そのRows("1:15").Selectのすぐ上に、次の1行を追加してください。

```
m = Cells(Rows.Count,"A").End(xlUp).Row
```

❷ 次に、Rows("1:15").Selectのカッコ内を修正します。

```
Rows("1:15").Select  →  Rows("1:"& m).Select
```

修正後のコードは次のようになります。

```
Sub Macro1()
'
    ChDir "C:¥Users¥santaro¥Desktop¥data4"
    Workbooks.Open Filename:="C:¥Users¥santaro¥Desktop¥data4¥銚子
.xlsx"
    m = Cells(Rows.Count,"A").End(xlUp).Row
    Rows("1:"& m).Select
    Selection.Copy
    Windows("Lesson4.xlsm").Activate
    n = Cells(Rows.Count,"A").End(xlUp).Row + 1
    Range("A"& n).Select
    ActiveSheet.Paste
    Windows("銚子.xlsx").Activate
    Application.CutCopyMode = False
    ActiveWindow.Close
End Sub
```

今追加した次の行を見てください。

```
m = Cells(Rows.Count,"A").End(xlUp).Row
```

この1行で、元データのデータがある最後の行番号を変数mに入れています（データの追加位置ではありませんので、行末に「+1」は付けないことにご注意ください）。変数mに入れたデータ最終行の行番号を使って、Rows("1:"& m).Selectとすることで、シートにある最初の1行目から最後の行まで、すべてのデータ行を選択できます。

3 それでは、確認のため実行してみましょう。

❶ Excelの画面に戻ります。

❷ 実行します。［開発］タブの［コード］で［マクロ］をクリック→「マクロ」画面が出るのでそのまま（Macro1が選ばれた状態で）［実行］をクリックします。

どうでしょうか？実行した結果、「銚子.xlsx」に入っている12月の末日までのすべてのデータが追加されたことが確認できればOKです。

Rows("1:"& m).Selectでの行指定方法について補足します。コピー元（今回の例では"銚子.xlsx"）のデータ数が限られた（たとえば、せいぜい数千行程度以下のデータしかないと分かっている）場合には、行を多めの数字で指定しておけばいいので、今回のような修正は必要ありません。

例

```
m = Cells(Rows.Count,"A").End(xlUp).Row
Rows("1:"& m).Select
```

多めに1万行の範囲を指定する

```
Rows("1:10000").Select
```

このように多めの固定値で指定しておけば（データのない空欄行は今回の場合いくらコピーしても結果に影響はないですし処理スピードにも影響

しないですから)、1行のコードで済み、コードを直す手間が省けます。

それでは、飛び飛びの行を指定したい（見出しにいらない行がある場合など）ときには、どうしたらよいでしょう。「マクロの記録」を使って、Ctrlキーを押しながら飛び飛びの行番号をクリックして指定していく操作を記録してみましょう。

例 1行目&4行目から8行目までを飛び飛びで指定した場合

```
Range("1:1,4:8").Select
```

このようにコードが記録されます。つまり飛び飛び指定の場合にも「,」カンマ区切りで書けばいいわけです。上記の例で最終行までコピーする場合なら、次のように書くことができます。

```
Range("1:1,4:8").Select → { m = Cells(Rows.Count,"A").End(xlUp).Row
                            { Range("1:1,4:"& m).Select
```

4-4 すべてのファイルを連続で取り込む

前節までに、1つのファイルのデータを自在に取り込めるようになりました。本節では、複数のファイルから連続してデータを取り込めるようにしていきます。必要なファイル数だけ処理を繰り返すループ処理を加えていくことで、このマクロの完成を目指します。

今回の予習として、連続してファイルを取り込む際に必要な「あるフォルダ内にあるすべてのファイルのファイル名を取得する」方法を学びましょう。

その基本構文を紹介します。

```
MyName = Dir("フォルダ名¥")          '最初のファイル名を取得する
Do While MyName <>""
    「ファイル名を使った処理」
    MyName = Dir                    '次のファイル名を取得する
Loop
```

この構文を使って、可変となる(1つ、あるいは複数の)ファイル名を取得しながらループを回していく処理を、前回のコードに追加していきます。それでは前回作成したExcelファイル「Lesson4.xlsm」をご用意ください。

1 はじめに、前回作ったプログラムの確認です。

❶「Lesson4.xlsm」を開きます。黄色い帯のセキュリティ警告が表示されたら、右側の[コンテンツの有効化]ボタンを押してください。

❷ [開発] タブの [コード] で [Visual Basic] をクリックします。すると、前回作成したマクロのコードが表示されます。

```
Sub Macro1()
'
    ChDir "C:¥Users¥santaro¥Desktop¥data4"
    Workbooks.Open Filename:="C:¥Users¥santaro¥Desktop¥data4¥銚子
.xlsx"
    m = Cells(Rows.Count,"A").End(xlUp).Row
    Rows("1:"& m).Select
    Selection.Copy
    Windows("Lesson4.xlsm").Activate
    n = Cells(Rows.Count,"A").End(xlUp).Row + 1
    Range("A"& n).Select
    ActiveSheet.Paste
    Windows("銚子.xlsx").Activate
    Application.CutCopyMode = False
    ActiveWindow.Close
End Sub
```

2 それでは、このコードに手を加えていきましょう

❶ まずは、1つめの 銚子.xlsx のある行

```
Workbooks.Open Filename:="C:¥Users¥santaro¥Desktop¥data4¥銚子.xlsx"
```

の最後の「銚子.xlsx"」を以下のように修正します。

```
Workbooks.Open Filename:="C:¥Users¥santaro¥Desktop¥data4¥"& MyName
```

※上記のパス名"C:¥Users¥santaro¥Desktop¥data4¥"の部分は、ご使用のPC環境によって異なります。

❷ 次に、2つめの 銚子.xlsx のある行

```
Windows("銚子.xlsx").Activate
```

のカッコ内を以下に書き変えます。

```
Windows(MyName).Activate
```

※カッコ内に""は不要です("MyName"は×、MyNameが○です)。

❸ 次に、1行目の

```
ChDir "C:¥Users¥santaro¥Desktop¥data4"
```

と書いてある行を以下に書き変えます。

```
MyDir = "C:¥Users¥santaro¥Desktop¥data4"
```

（ChDir を MyDir = に直します。 = を忘れずに！）

❹ あとは、先ほどの基本構文をはめ込んでいきます。

今修正した行のすぐ下に以下の2行を挿入します。

```
MyName = Dir(MyDir &"¥")
Do While MyName <>""
```

さらに、最後のEnd Subの上に以下の2行を追加します。

```
MyName = Dir
Loop
```

※ループの中はTabキーを1回押して字下げするようしてください。

修正後のコードは次のようになります。

```
Sub Macro1()
'
    MyDir = "C:¥Users¥santaro¥Desktop¥data4"
    MyName = Dir(MyDir &"¥")
    Do While MyName <>""
        Workbooks.Open Filename:="C:¥Users¥santaro¥Desktop¥data4¥
"& MyName
        m = Cells(Rows.Count,"A").End(xlUp).Row
        Rows("1:"& m).Select
        Selection.Copy
        Windows("Lesson4.xlsm").Activate
        n = Cells(Rows.Count,"A").End(xlUp).Row + 1
        Range("A"& n).Select
        ActiveSheet.Paste
        Windows(MyName).Activate
```

```
        Application.CutCopyMode = False
        ActiveWindow.Close
        MyName = Dir
    Loop
End Sub
```

今行った修正でポイントとなるDir(……)は、( )の中で指定したフォルダにあるファイルのファイル名を教えてくれるVBAの標準関数です。この( )の中には、フォルダ名(フルパス)+¥(エンマーク)を指定します(最後には必ず¥マークを付ける仕様であることにご注意ください)。

MyName = Dir(MyDir &"¥")により、変数のMyNameに、指定したフォルダにある最初に見つかったファイル名が格納されます(通常はファイル名称のアルファベット順ですが、特にそれが保証されているわけではありませんのでファイルの見つかる順番は任意です)。

2番目以降のファイル名を取得するには、( )を指定せずに再びDir関数を呼び出します。具体的には次のとおりです。

```
MyName = Dir("フォルダ名¥")  ←最初に見つかったファイル名
MyName = Dir                  ←2番目に見つかったファイル名
MyName = Dir                  ←3番目に見つかったファイル名
MyName = Dir                  ←4番目に見つかったファイル名
    ⋮                                 ⋮
```

これをループ処理でくり返すことにより、指定したフォルダにあるファイル名を次々と取得できます。

③ 確認のため実行してみましょう。

❶ Excelの画面に戻って、新しいシート［Sheet2］を作成して開いてください。

❷ では、実行します。

［開発］タブの［コード］で［マクロ］をクリック→「マクロ」画面が出るのでそのまま（Macro1が選ばれた状態で）［実行］をクリックします。

どうでしょうか？ 実行した結果、このフォルダ内にある6つのサンプルファイルの中身のデータすべてが、このシートに結合されて取り込まれていればOKです。サンプルファイルの場合だと6つのファイルの合計で205行のデータが［Sheet2］に存在することになります。

	A	B	C	D	E	F	G	H	I
1									
2		千葉	千葉	千葉	千葉	千葉	千葉	千葉	
3	年月日	平均気温(	平均気温(	平均気温(	降水量の合	降水量の合	降水量の合	降水量の合計(mm)	
4			品質情報	均質番号		現象なし情	品質情報	均質番号	
5	2022/12/1	10.3	8	1	0	0	8	1	
6	2022/12/2	9.3	8	1	0	1	8	1	
7	2022/12/3	8.7	8	1	0	1	8	1	
34	2022/12/30	6.9	8	1	0	1	8	1	
35	2022/12/31	5.7	8	1	0	1	8	1	
36		我孫子	我孫子	我孫子	我孫子	我孫子	我孫子		
37	年月日	平均気温(	平均気温(	平均気温(	降水量の合	降水量の合	降水量の合計(mm)		
38			品質情報	均質番号		品質情報	均質番号		
39	2022/12/1	8.4	8	1	0	8	1		
40	2022/12/2	7.1	8	1	0	8	1		
203	2022/12/29	8.9	8	1	0	1	8	1	
204	2022/12/30	7.5	8	1	0	1	8	1	
205	2022/12/31	6.2	8	1	0	1	8	1	
206									
207									

Sheet1　Sheet2　+

以上が、「マクロの記録」と「ファイル名を取得する基本構文」を用いて、複数ファイルに分かれるデータを結合して1つのシートにまとめるマクロの最も簡単な作り方の手順例になります。

大容量テキストファイルの読み書き

本章では、大容量かつ多数のテキストデータをExcelで使うときに便利なマクロの作り方を解説します。エンジニアにとって、大容量のファイルを複数扱う機会は多いでしょう。そうしたときに便利なマクロを作れるよう、しっかり身に付けてください。

大容量のテキストデータといっても、Excelで実際に扱うデータはファイルの中のごく一部だったりすることが多いものです。その方法も説明します。すべてのデータを一気にExcelに取り込んで加工しようとして、「データが重すぎてメモリー容量が不足したり、パソコンが固まる（動作が止まる）、Excelが突然落ちる（強制終了する）」といった事態を回避するためのヒントにもなるでしょう。

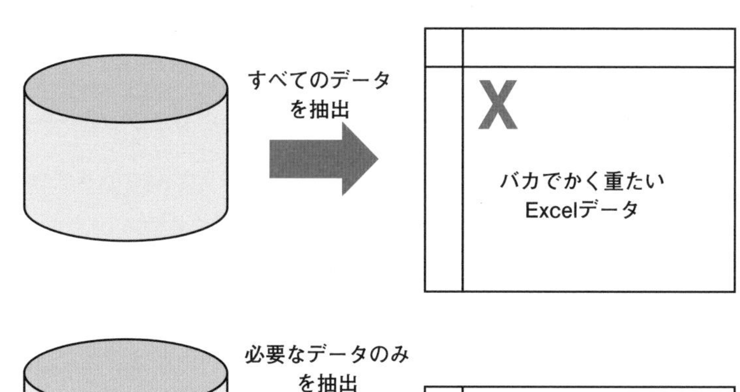

必要なデータのみ
を抽出
X
サクサク動く
小さなExcelデータ

大容量ファイルのデータは、そのままExcelにすべてを取り込まない

本章で利用するテスト用のテキストデータ（サンプルファイル1つ）と、基本コードのサンプルプログラム（ファイル4つ）を本書のWebページからダウンロードしてください（付録ページを参照）。

■ 本章で使うサンプルデータのファイル
「千葉市の気象データ.csv」
■ 本章で使うサンプルプログラム入りのファイル
「Lesson5_1.xlsm ～ Lesson5_4.xlsm」
■ 本章で使うテストデータ格納フォルダ
「data5」

5-1 テキストファイル自動操作の基礎知識

本節では、テキストファイルからデータを取り込む方法を通じて、VBAでテキストファイルを取り扱う際に必要な基礎知識を学んでいきます。

いわゆるCSV形式（データとデータの間をカンマ記号で区切るもの）や空白区切り、固定長のフォーマットなど、テキスト形式（拡張子が.csvや.txtなど）のファイルからExcelのシートにデータを取り込む際の基本を説明します。

Excelの場合、CSV形式のファイルからデータを取り込むのは至って簡単です（ファイル名をダブルクリックして開くだけです）。Excelで大量のテキストファイルを扱う際、このCSV形式のファイルがよく使われます。

そうやってExcelでファイルを開いたときでも、実際に使うデータ（必要なデータ）はごく一部であることはよくあります。大容量なCSVファイルの場合、そのすべてをExcelに取り込んでしまうと、動作が重くなって加工しづらくなったり、場合によっては画面が固まってしまったりなど、操作が困難な状況に陥る原因になるでしょう。

そこで、ここでは「必要なデータだけをファイルから選んでExcelに取り込む」処理を学びます。

まずは、ダウンロードしたサンプルプログラムの「Lesson5_1.xlsm」を開いてください。黄色い帯のセキュリティ警告が表示されたら、右側の［コンテンツの有効化］ボタンを押してください。

［開発］タブの［コード］で［Visual Basic］をクリック→画面の左上半分の［+標準モジュール］をクリック→その下に表示される［Module1］をダブルクリックして、このファイルに収録されているマクロのコードを表示します。

■ サンプルプログラム 「Lesson5_1.xlsm」

```
Sub Macro1()
    Dim a(256) As String
    Open "ファイルのフルパス名" For Input As #5
    j = 1
    Do While Not EOF(5)
        Line Input #5, buf
        If buf Like "*12:00*" Then
            Call wReadCSV(buf, a, n)
            For i = 1 To n
                Cells(j, i).Select
                ActiveCell.FormulaR1C1 = a(i)
            Next i
            j = j + 1
        End If
    Loop
    Close #5
    MsgBox j - 1 & "件のデータを取り込みました。"
    Range("A1").Select
End Sub
Sub wReadCSV(ByVal bufbuf As String, aa() As String, num)
    Dim char1 As String
    num = 1
    aa(num) = ""
    For n = 1 To Len(bufbuf)
        char1 = Mid(bufbuf, n, 1)
        Select Case char1
            Case ","
                num = num + 1
                aa(num) = ""
            Case Chr(34)
            Case Else
                aa(num) = aa(num) & char1
        End Select
    Next n
End Sub
```

このサンプルプログラムの後半（Sub wReadCSV）は「ブラックボックス」として捉えて（無視して）ください。ここでは、CSVのカンマ区切りでデータを一つ一つに分ける処理をしています。「ブラックボックス」とは、この部分の呼び出し方と戻り値の使い方さえ分かれば中身を理解する必要のないもの（システムの開発現場でいうところのライブラリ関数のようなもの）という意味です。なので、Sub wReadCSVの中身について気にする必要はありません。

ただし1カ所だけ、ファイル形式に応じて赤線部分の `Case ","` のカンマ","の部分を変更することを覚えておくと便利でしょう。たとえば、半角ブランク（スペース）区切りのデータの場合なら、これを `Case " "`（"の間には半角ブランクがあります）と変更すればよいわけです。

それでは、前半のMacro1を変更していきましょう。

1「マクロの記録」を使って、ちょっとしたプログラムを作ります。

❶ Excelの画面に戻って、マクロの記録を開始します。

［開発］タブの［コード］で［マクロの記録］をクリック→「マクロの記録」画面が出るので、そのまま［OK］をクリックします。

❷ ここで、先にダウンロードしたテスト用サンプルデータのファイル「千葉市の気象データ.csv」を次の操作で開きます。

「ファイル」→［開く］→［ファイルを開く］のダイアログで左側のフォルダリストからフォルダを選び、下のファイル名入力窓右側にある［ファイルの種類］を選ぶためのプルダウン▼で、一番上の「すべてのファイル(*.*)」を選んで、「千葉市の気象データ.csv」を開く。

注）ここでは必ず上記の操作（Excelの操作）でファイルを開いてください。
フォルダからファイル名をダブルクリックして開くと（Windowsの操作でやってしまうと）、Excelのマクロには記録されませんのでご注意ください。

	A	B	C	D	E	F	G	H	I
1	出典：気象庁過去の気象データ（https://www.data.jma.go.jp/gmd/risk/obsdl/index.php）								
2									
3		千葉	千葉	千葉	千葉	千葉	千葉	千葉	
4	年月日時	気温(°C)	気温(°C)	気温(°C)	降水量(m	降水量(m	降水量(m	降水量(mm)	
5			品質情報	均質番号		現象なし情	品質情報	均質番号	
6	2022/1/1 1:00	1.2	8	1	0	1	8	1	
7	2022/1/1 2:00	1.1	8	1	0	1	8	1	
8	2022/1/1 3:00	0.7	8	1	0	1	8	1	
9	2022/1/1 4:00	1.1	8	1	0	1	8	1	
10	2022/1/1 5:00	1.2	8	1	0	1	8	1	
11	2022/1/1 6:00	1.8	8	1	0	1	8	1	

❸ 最後に、［開発］タブの［コード］で［■記録終了］をクリックして、マクロの記録を終了します。

2 では、今作ったコードの中身を見てみましょう。

❶ 再びプログラムの画面を表示します。
［開発］タブの［コード］で［Visual Basic］をクリックします。

❷ 画面の左上半分の［－標準モジュール］の下の ［Module2］をダブルクリックします。

```
Sub Macro2()
'
    ChDir "C:¥Users¥santaro¥Desktop"
    Workbooks.Open Filename:="C:¥Users¥santaro¥Desktop¥千葉市の気
象データ.csv"
End Sub
```

※上記プログラム中のフォルダ名の部分（パス名を示す C:¥Users¥santaro¥Desktop¥ の部分）はパソコン環境やダウンロードしたファイルを保存した場所によって異なります。

③ このコードに少し手を加えます。

❶ 今記録した Macro2 の中からパス名とファイル名の部分（Workbooks.Open の行の後半の "C:¥Users¥santaro¥Desktop¥千葉市の気象データ.csv"までを）コピーしてください。

❷ コピーしたら、この画面の左上半分の［－標準モジュール］の下の［Module1］をダブルクリックして Macro1 を表示します。そのOpen 行にある"ファイルのフルパス名"という個所をそのまま置き換える形で貼り付けして（上書きして）ください。

修正後のコード（Macro1）は次のようになります。

```
Sub Macro1()

    Dim a(256) As String
    Open "C:¥Users¥santaro¥Desktop¥千葉市の気象データ.csv" For
Input As #5
    j = 1
    Do While Not EOF(5)

     (以下省略)
```

④ さっそく実行してみましょう。

❶ Excelの画面に戻ってください。

❷ 今開いているデータファイル「千葉市の気象データ.csv」を（右上の×を押して）必ず閉じてください。

❸ では、実行します。

［開発］タブの［コード］で［マクロ］をクリック→「マクロ」画面が出るので、そのまま（Macro1が選ばれた状態で）［実行］をクリックします。

❹ しばらく待つと、「181件のデータを取り込みました。」というポップアップ画面が出ますので、その画面の［OK］ボタンを押して終了します。

この結果、シート上に毎12時（12:00）の気温と降水量の一覧が表示されたらOKです（日時が見えない場合はA列の幅をちょっと広げて見てください）。

	A	B	C	D	E	F	G	H
1	2022/1/1 12:00	6.7	8	1	0	1	8	1
2	2022/1/2 12:00	5.7	8	1	0	1	8	1
3	2022/1/3 12:00	9.6	8	1	0	1	8	1
4	2022/1/4 12:00	11.2	8	1	0	1	8	1
5	2022/1/5 12:00	7.6	8	1	0	1	8	1
6	2022/1/6 12:00	1.4	8	1	0	0	8	1
7	2022/1/7 12:00	7	8	1	0	1	8	1
8	2022/1/8 12:00	7.8	8	1	0	1	8	1
9	2022/1/9 12:00	11.9	8	1	0	1	8	1
10	2022/1/10 12:00	8.7	8	1	0	1	8	1
11	2022/1/11 12:00	6.2	8	1	0	1	8	1

当然ですが、抽出条件はいろいろなケースが考えられますので、固定では（固定文字の12:00では）使い勝手が悪いです。そこで、任意の文字で抽出できるようなコードに変更していきます。

5 このコードに手を加えていきます。

❶ まず、Macro1で先ほど修正した

```
Open "C:¥Users¥santaro¥Desktop¥千葉市の気象データ.csv" For Input As #5
```

の行の上に、次の2行を追加してください。

```
s = InputBox("検索したい時刻を入力してください。")
If Trim(s) = "" Then Exit Sub
```

❷ 次に、If文の

```
If buf Like "*12:00 *" Then
```

の行を、

```
If buf Like "*" & s & "*" Then
```

に修正してください。

修正後のコード（Macro1）は次のようになります。

```
Sub Macro1()

    Dim a(256) As String
    s = InputBox("検索したい時刻を入力してください。")
    If Trim(s) = "" Then Exit Sub
    Open "C:¥Users¥santaro¥Desktop¥千葉市の気象データ.csv" For
Input As #5
    j = 1
    Do While Not EOF(5)
        Line Input #5, buf
        If buf Like "*" & s & "*" Then
            Call wReadCSV(buf, a, n)

     （以下省略）
```

修正のポイントは、次の個所です。

```
If buf Like "*12:00*" Then  →  If buf Like "*" & s & "*" Then
```

このような Like演算子を使ったあいまい検索（部分一致）の場合、修正前の固定文字の場合には "*12:00*" だった指定が、修正後の変数 s を使った場合では、"*" & s & "*" のように、少々複雑で（いわば泥くさい）書き方になります。このようなVBAコードの書き方については苦手な人も多いかも知れませんが、要は慣れです。コツをつかんで、あとは書き慣れるしかありません。

コツは、文字要素を個々のパーツに分解をし、かつ、&マークを取り除いてみることです。それにより、指定している内容が理解しやすくなります。

たとえば、今回この "*" & s & "*" は、

"*"

s

"*"

という3つのパーツに分けることができます。注意すべきは「変数名には" "は付けない」という大原則だけです。言い換えれば、「変数名以外には必ず" "を付ける」ことになります。ここだけ覚えておけば大丈夫です。

この例の場合、s は変数名ですから、"s" とはしてはいけません。

一方、* は（特殊文字ではありますが）ただの文字ですから、必ず" "を付けて "*" と表記します。で、あとはこれらバラバラにしたパーツの間に、& マークを入れていきます。

"*"　ワイルドカードを示すアスタリスク（特殊文字も" "で囲む）

&

s　変数

&

"*"　ワイルドカードを示すアスタリスク（特殊文字も" "で囲む）

これらを半角のブランクを入れながら1行に戻せば、

```
"*" & s & "*"        3つに分けた各パーツを&マークでつなぐ
```

になります。

このように、ちょっとごちゃごちゃして分かりづらくなった場合には、まずは個々のパーツに分けてみると理解しやすいでしょう。

続いて、最初に追加した2行を見てください。

```
s = InputBox("検索したい時刻を入力してください。")
If Trim(s) = "" Then Exit Sub
```

これらは、入力用のインプットボックスと、その入力をチェックするIF文です。特にデータ量が多い場合にはTrim関数(前後の空白文字を削除する)を使うことで、より確実にデータのあるなしをチェックできます。

6 再び実行してみましょう。

❶ Excelの画面に戻って、まずは新しいシートの[Sheet2]を作成してください。

❷ では、実行します。

[開発]タブの[コード]で[マクロ]をクリック→「マクロ」画面が出るので、そのまま(Macro1が選ばれた状態で)[実行]をクリックします。

❸ すると、「検索したい時刻を入力してください。」というポップアップ画面が表示されますので、その入力欄にすべて半角文字で「20:00」と打ち込んで、[OK]ボタンを押してください。

❹ しばらく待つと、「181件のデータを取り込みました。」というポップアップ画面が出ますので、この画面の［OK］ボタンを押して終了します。

結果として、シート上に毎日の20:00の気象情報だけを取り込めていればOKです。

	A	B	C	D	E	F	G	H
1	2022/1/1 20:00	4.4	8	1	0	1	8	1
2	2022/1/2 20:00	6.2	8	1	0	1	8	1
3	2022/1/3 20:00	6.5	8	1	0	1	8	1
4	2022/1/4 20:00	5.1	8	1	0	1	8	1
5	2022/1/5 20:00	3.8	8	1	0	1	8	1
6	2022/1/6 20:00	0.7	8	1	0	0	8	1

※なお、上記入力の際に1桁台の時刻（"8:00"など）を指定する場合には先頭に半角ブランク文字を1つ入れて（" 8:00"など）入力します。

大容量のデータファイルを使う場合、Excelにそのすべてを取り込んでから選別・加工・削除するのは大変です。マクロで処理するときにも行の削除には時間がかかりますし、Excelの動作が遅くなったり止まったりする原因にもなります。そのため、Excelに大容量のテキストファイルからデータを取り込む際には、必要なデータだけを選んで取り込むようにするとよいでしょう。

今回作ったマクロは、理解した部分に自分なりのコメント（あとから見返したときに、その部分で何をしているかが分かるように）を入れてから保管し、必要なときに随時ご活用ください。

5-2 テキストファイルへのデータ書き出し

前節は、テキストファイルからの入力について説明しました。本節では、Excelのデータをテキストファイルへ書き出す方法について説明します。

テキストファイルの読み書き（入出力）の手順は以下のとおりです。

(1) ファイル名（パス名）を指定してテキストファイルを開く

(2) テキスト（文字列）を読み込む／書き出す

(3) ファイルを閉じる

読み込み時とは異なり、書き出す際にはフォーマット（桁合わせなどデータ書式のルール）が重要です。これについても、例を上げて具体的に説明していきます。今回の最後にはテキストファイルへの出力に慣れ親しんでいただくための「チェレンジ問題」も用意しましたので、ぜひ挑戦してみてください。

それでは、サンプルプログラムの「Lesson5_2.xlsm」を開いてください。黄色い帯のセキュリティ警告が表示されたら、右側の［コンテンツの有効化］ボタンを押してください。

［開発］タブの［コード］で［Visual Basic］をクリックして、このファイルに収録されているマクロのコードを表示します。

■ サンプルプログラム 「Lesson5_2.xlsm」

```
Sub Macro1()
    ChDir ThisWorkbook.Path
    sFileName = "out1.txt"
    Open sFileName For Output As #6
    Call Macro2
    Close #6
End Sub
Sub Macro2()
    n = Cells(Rows.Count, "A").End(xlUp).Row
    m = Cells(1, Columns.Count).End(xlToLeft).Column
    For i = 1 To n
        tmp = ""
        For j = 1 To m
            tmp = tmp & Cells(i, j)
        Next j
        Print #6, tmp
    Next i
End Sub
```

最初にこのコードの基本部分を説明します。(1) テキストファイルを開くための構文を見てみましょう。

Open **ファイル名** For **オープンモード** As #**ファイル番号**

例 Open "C:¥test.txt" For Output As #6

ファイル名については注意が必要です。出力先のファイル名はなるべくフルパスで指定します。もし、パスを指定しないでファイル名のみを指定した場合には、デフォルトのカレントフォルダ（通常は個人のドキュメントフォルダ）に出力されます。

パスの指定方法は、ChDirであらかじめカレントフォルダの移動を行うか、あるいはThisWorkbook.Path（コードが記述されたブックのあるパス）を使うのが一般的で便利です。

例
```
ChDir ThisWorkbook.Path
sFileName = "out1.txt"
     ↓
sFileName = ThisWorkbook.Path & "¥OutputData" & "¥out1.txt"
```

※フォルダ区切りの¥マークを忘れずに！

基本構文のオープンモードのポイント

次の３種類の基本モードがあります。
①入力モード Input （読み込み）
②出力モード Output （書き出し）
③追加モード Append （追加書き出し）

オープンモードには以下の注意事項があります。

1. 出力モード（Output）ですでに存在するファイル名を指定して開いた場合は、前データは上書きされ、削除されます。同名のファイルが存在しない場合は、新規作成されます。
2. データを上書きではなく追加する場合は、追加モード（Append）で開きます。

次に、(2) データをテキストファイルに書き出すときの構文（Print 文）を見てみましょう。

Print #ファイル番号，書き込む文字列

例
```
Print #6, buf
```

ファイル番号のポイント

ファイルを書き出すときのファイル番号については、ファイルを開いたとき（Open文）と同じ番号を指定します。

最後に、(3) ファイルを閉じるときの構文(Close文)です。

```
Close #ファイル番号
```

例 `Close #6`

書き出す文字列のポイント

文字列型の変数に書き出す内容をあらかじめセットしておくとよいでしょう。

例
```
c = 25.3
tmp = "本日の気温は" & c & "度です。"
Print #6, tmp
```
→ 「本日の気温は25.3度です。」と出力

1 それでは、確認のために実行してみましょう。

❶ Excelの画面に戻ってください。今この[Sheet1]には適当な実数データが入っています。

❷ では、このまま実行します。

[開発]タブの[コード]で[マクロ]をクリック→「マクロ」画面が出るので、そのまま(Macro1が選ばれた状態で)[実行]をクリックします。

❸ すると、この「Lesson5_2.xlsm」のある場所と同じフォルダに、「out1.txt」というファイルができたでしょう。そのファイルをダブルクリックして開いてファイルの中身を確認してください。

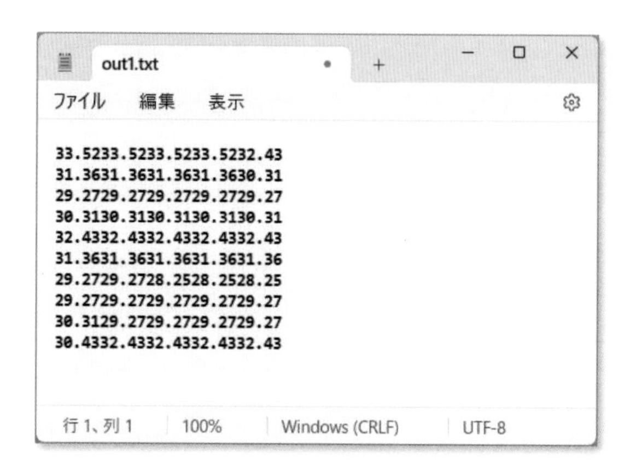

[2] 次に、このコードにちょっと手を加えます。

❶ まず、上の Macro1 の

```
Open sFileName For Output As #6
```

の行を、

```
Open sFileName For Append As #6
```

に修正してください（Outputを Appendにします）。

❷ 次に、下の Macro2 の

```
tmp = tmp & Cells(i, j)
```

の行を、

```
tmp = tmp & Cells(i, j) & ","
```

に修正してください（最後に & "," を追加します）。

修正後のコードは次のようになります。

```
Sub Macro1()
    ChDir ThisWorkbook.Path
    sFileName = "out1.txt"
    Open sFileName For Append As #6
    Call Macro2
    Close #6
End Sub
Sub Macro2()
    n = Cells(Rows.Count, "A").End(xlUp).Row
    m = Cells(1, Columns.Count).End(xlToLeft).Column
    For i = 1 To n
        tmp = ""
        For j = 1 To m
            tmp = tmp & Cells(i, j) & ","
        Next j
        Print #6, tmp
    Next i
End Sub
```

3 再び実行してみましょう。

❶ まずは、先ほど開いた「out1.txt」を閉じて、Excelの画面に戻ってください。

❷ では、実行します。

[開発] タブの [コード] で [マクロ] をクリック→「マクロ」画面が出るので、そのまま(Macro1が選ばれた状態で) [実行] をクリックします。

❸ 先ほど閉じた「out1.txt」のファイルを再び開き、ファイルの中身を確認してください。

オープンモードを「追加モードAppend」に変え、さらにデータの出力をカンマ区切りに変えましたことによるアウトプットの違いが確認できればOKです。

Write文のポイント

Write文を用いるとデータがカンマ区切り(CSV形式)で出力されます。その際、文字列データはダブルクオーテーション""が自動付加されます。

例

```
a = 31.3
b = "2015/10/10"
c = "あいうえお"
Write #6, a, b, c
```

→ 「31.3 , "2015/10/10" , "あいうえお"」と出力

フォーマットの指定のポイント

数値データをテキストファイルへきれいに書き出す場合（桁合わせなど）には、Format関数が便利です。

```
tmp = tmp & Cells(i, j)
    'Cells(i, j)はi行j列の値取得（.Valueの省略可）
        ↓
tmp = tmp & Cells(i, j) & " "
    '空白区切りで書き出す例
        ↓
tmp = tmp & Format(Cells(i, j), "00.000 ")
    '小数点以下3桁まで書き出す例
```

例1 基本例文（Office Supportより引用　https://support.office.com/）

```
MyStr = Format(5459.4, "##,##0.00")    '"5,459.40" を返します。
MyStr = Format(334.9, "###0.00")       '"334.90" を返します。
MyStr = Format(5, "0.00%")             '"500.00%" を返します。
MyStr = Format("HELLO", "<")           '"hello" を返します。
MyStr = Format("This is it", ">")      '"THIS IS IT" を返します。
```

例2 実数のケタ合わせ例

```
Format(31.36, "000.000") →  031.360
Format(31.36, "0.000") →  31.360
Format(31.36, "0.0") →  31.4
Format(31.36, "0") →  31
```

例3 ＠マークを使った文字列の出力例

```
Format("ABCDEF", "@は@@の@@@です") →  "AはBCのDEFです"
```

■ チャレンジ

演習1 サンプルプログラム「Lesson3_2.xlsm」を、空白区切りでテキストファイルに書き出すコードに変更しなさい。

演習2 上で作成したコードを、小数点以下1桁まで（四捨五入）で書き出すコードに変更しなさい。

演習3 上のコードをさらに、書き出すファイル名がシート名になるように変更しなさい。

演習4 上のコードをさらに、上のファイル名に「今日の日付」も追加するように変更しなさい。

ヒント

演習1 【メモ】フォーマットの指定のポイントを参照。

演習2 VBAのFormat 関数は四捨五入します。

演習3 現在開いているシート名の取得方法 → ActiveSheet.Name
（これに拡張子の「.txt」を & で付け足します）

演習4 今日の日付の取得方法 → Format(Date, "_yyyy_mm_dd")
など

5-3 テキストファイルを連続で読み込む

本節では、連続して複数のファイルからデータを取り込む方法を説明します。

最初に、取り込むファイルを1つの特定フォルダにまとめておくようにします。ここで、第4章で学んだ「すべてのファイルを連続で取り込む」方法を思い出してください。次の構文でしたね。

■ フォルダ内にあるファイル名を取得するパターン

```
MyName = Dir("指定フォルダ名¥")    '最初のファイル名を取得する
Do While MyName <> ""
    「ファイルを開く等のファイル名を使った処理をする」
    MyName = Dir   '次のファイル名を取得する
Loop
```

これは、第4章で説明したExcelファイルにのみならず、テキストファイルやその他のファイルでも共通して使える基本コードです。

本節では、「指定フォルダ内にあるすべてのテキストファイルから連続してデータを取り込むマクロ」のサンプルコードを見ていきましょう。

■ サンプルプログラム 「Lesson5_3.xlsm」

■ テストデータ格納フォルダ 「data5」

この「data5」のフォルダの中に、テスト用の種類の異なるファイルが入っています。

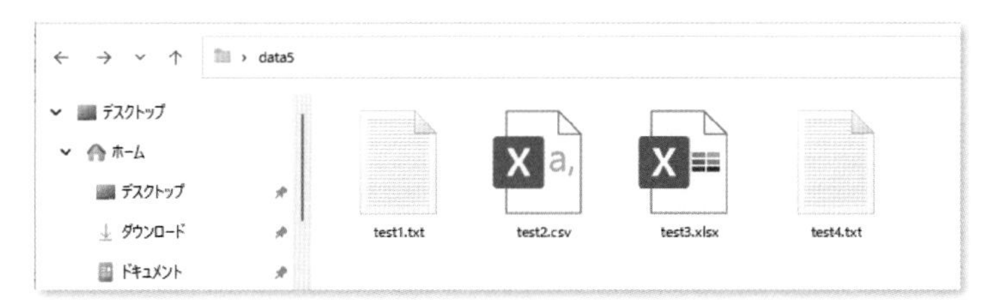

これらファイルの中身は、test1には数字の「1」の羅列（5行5列の計25個）が、test2には数字の「2」の羅列（同）が、test3には数字の「3」の羅列（同）が、test4には数字に「4」の羅列（同）が入っています。

それでは、サンプルプログラムの「Lesson5_3.xlsm」を開いてください。黄色い帯のセキュリティ警告が表示されたら、右側の［コンテンツの有効化］ボタンを押してください。

［開発］タブの［コード］で［Visual Basic］をクリックして、このファイルに収録されているマクロのコードを表示します。

```
Sub Macro1()
    MyDir = ThisWorkbook.Path & "¥data5"    'フォルダ名はここで指定する
    ChDir MyDir
    MyName = Dir(MyDir & "¥")
    j = 1
    Do While MyName <> ""
        Call Macro2(MyName, j)
        MyName = Dir
    Loop
End Sub
Sub Macro2(MyName, j)
    Dim a(256) As String
    Open MyName For Input As #5
    Do While Not EOF(5)
        Line Input #5, buf
        Call wReadCSV(buf, a, n)
        For i = 1 To n
            Cells(j, i) = a(i)
        Next i
        j = j + 1
    Loop
    Close #5
End Sub
```

❶（MyDir = … ～ MyName = Dir(MyDir & "¥")）
❷（Call Macro2(MyName, j)）

```
Sub wReadCSV(ByVal bufbuf As String, aa() As String, num)    ――③
    Dim char1 As String
    num = 1
    aa(num) = ""
    For n = 1 To Len(bufbuf)
        char1 = Mid(bufbuf, n, 1)
        Select Case char1
            Case ","         'カンマ区切りの場合    ――④
                num = num + 1
                aa(num) = ""
            Case Chr(34)
            Case Else
                aa(num) = aa(num) & char1
        End Select
    Next n
End Sub
```

このコードは、指定フォルダ内にあるすべてのテキストファイルから連続してデータを取り込むためのマクロです。赤枠の部分以外は、特に変更なしで(ブラックボックス扱いで)使えるものとなっています。

では、コード内を見ていきましょう。コードに付けた①②③④という個所を説明します。

❶ フォルダの指定

パスの指定方法は、ChDirであらかじめカレントフォルダの移動を行うか、あるいは、ThisWorkbook.Pathでマクロが記述されているブックのパス名を取得し、その下にデータフォルダを配置するのが一般的で便利です。

例
```
ChDir ThisWorkbook.Path
sFileName = "data1.txt"
        ↓
sFileName = ThisWorkbook.Path & "¥inputData" & "¥ data1.txt"
```

このようなパスを指定するマクロでは、必ずローカルな保存先にファイルを置くようにします。たとえば、ファイル保存先にOneDriveは使わないようしてください。特に、Microsoft365（旧Office365）をお使いの方はThisWorkbook.Path の戻り値に異常をきたす場合がありますのでご注意ください。

❷ Macro2(MyName, j)

1つのファイルデータをシートに書き込む処理をします。以下の2つの引数があります。

第1引数（入力）：読み込むファイルの名称

第2引数（入出力）：読み込んだデータのトータル行数を数えるカウンタ

❸ wReadCSV(buf, a, n)

1行のテキストデータを区切り文字（カンマ）で分割します。以下の引数があります。

第1引数（入力）：1行のテキストデータ

第2引数（出力）：分割したデータを入れた配列

第3引数（出力）：分割したデータ数

❹ 区切り文字の指定

ここで区切り文字（ここでは ,）を指定しています。半角ブランクを指定する場合は以下になります。

例 `Case " "        '半角ブランク区切りの場合`

1 それでは、このコードの Macro1 にちょっと手を加えます。

❶ まず、Macro1 の

```
Call Macro2(MyName, j)
```

の行の上に、

```
If Right(MyName, 4) = ".txt" Then
```

の1行を追加してください。

❷ 次に、この

```
Call Macro2(MyName, j)
```

の行の下に、

```
End If
```

の1行を追加してIF文の中に入れます。

修正後のコード（Macro1）は次のようになります。

```
Sub Macro1()
    mydir = ThisWorkbook.Path & "¥data5"      'フォルダ名はここで
指定する
    ChDir mydir
    MyName = Dir(mydir & "¥")
    j = 1
    Do While MyName <> ""
        If Right(MyName, 4) = ".txt" Then      'txt形式のファイル
のみを選ぶ
            Call Macro2(MyName, j)
        End If
        MyName = Dir
    Loop
End Sub
```

2 では、実行してみましょう。

❶ まず、先にダウンロードしたテストデータの入ったフォルダ「data5」

が、このマクロの「Lesson5_3.xlsm」と同じフォルダに置いてあることを確認してください。

❷ Excelの画面に戻って、では実行します。

［開発］タブの［コード］で［マクロ］をクリック→「マクロ」画面が出るので、そのまま（Macro1が選ばれた状態で）［実行］をクリックします。

この結果、シートに「1」と「4」の数字だけが並んでいればOKです（フォルダ「data5」にあるテキスト形式（拡張子が.txt）のファイルのデータのみが取り込めたということになります）。

	A	B	C	D	E
1	1	1	1	1	1
2	1	1	1	1	1
3	1	1	1	1	1
4	1	1	1	1	1
5	1	1	1	1	1
6	4	4	4	4	4
7	4	4	4	4	4
8	4	4	4	4	4
9	4	4	4	4	4
10	4	4	4	4	4

以上のように、ファイルを連続して読み込む場合には、指定フォルダにあるファイルからファイル形式を指定して（IF文で判別して）取り込めば、目的のファイルのデータだけを連続して取り込めます。

5-4 テキストファイルへ連続で書き出す

本節では、複数あるシートのデータを連続してテキストファイルに書き出す方法を説明します。複数あるシートの数だけループを回すため、次の基本構文を使います。これにより、アクティブなブック上にあるすべてのシートを対象に、1回マクロを実行するだけで連続的にテキストファイルへのデータ書き出しが可能です。

■ ブック内にあるシートの数だけループを繰り返すパターン

```
For i = 1 To Sheets.Count      'シート数だけループを回す
    Sheets(i).Select           '左から順にシートを開いていく
    「開いたシートにあるデータを処理する（ファイルの書き出し等）」
Next i
```

上記のコードで重要な部分はSheets.CountとSheets(i).Selectです。

Sheets.Countは文字どおりシートの数を意味します。また、Excelの各シートには左の端から順番に1から番号が内部的に振られていますから、それを使ってループ内でSheets(i)により、左のシートから順に処理できます（詳しく第3章「シートを連続で自動処理する」でも学習しましたね）。

それでは、サンプルプログラムの「Lesson5_4.xlsm」を開いてください。黄色い帯のセキュリティ警告が表示されたら、右側の［コンテンツの有効化］ボタンを押してください。

［開発］タブの［コード］で［Visual Basic］をクリックして、このファイルに収録されているマクロのコードを表示します。

「Lesson5_4.xlsm」にある以下のコードは、「アクティブなブックにあるすべてのシートのデータを連続してシートと同名のテキストファイルに書き出すマクロ」のサンプルコードです。赤枠の部分以外は、特に変更なしで（ブラックボックス扱いで）使えるものになっています。

■ サンプルプログラム 「Lesson5_4.xlsm」

```
'全シートのデータを連続してシートと同名のテキストファイルに書き出すマクロ
Sub Macro1()
    For i = 1 To Sheets.Count              'シート数だけループを回す
        Sheets(i).Select                   '左から順にシートを開いていく
        s = ActiveSheet.Name & ".txt"      '出力ファイル名にシート名をつける
        sFileName = ThisWorkbook.Path & "¥出力するフォルダ名¥" & s
        Open sFileName For Output As #6
        Call Macro2
        Close #6
    Next i
End Sub
Sub Macro2()
    n = Cells(Rows.Count, "A").End(xlUp).Row            'A列のデータのある行数
    m = Cells(1, Columns.Count).End(xlToLeft).Column '1行目のデータのある列数
    For i = 1 To n
        tmp = ""
        For j = 1 To m
            tmp = tmp & Cells(i, j) & " "  '←空白の区切り文字を挿入する
        Next j
        Print #6, tmp
    Next i
End Sub
```

❶ フォルダの指定（出力するフォルダ名）

ここで出力するフォルダを指定しています。注意点は、必ずあらかじめ用意した「既存フォルダ」の名前を指定することです。フォルダが存在しない場合には、実行時エラー「パスが見つかりません。」が出てしまいます。

❷ 行数と列数のカウント場所の指定

ここで、行数と列数のカウントを指定しています。列や行によってデータ数が異なる場合には、この指定位置に注意するようにしましょう。

❸ 区切り文字を挿入する

ここで区切り文字を挿入しています。上のコードへは、以下のようにして , を挿入しています。

```
tmp = tmp & Cells(i, j) & ","   'カンマ区切りを挿入する
```

1 では、早速確認のため実行してみましょう。

❶ このマクロの「Lesson5_4.xlsm」と同じフォルダに、「outdata」というフォルダを作成してください。

❷ Excelの画面に戻って、では実行します。

［開発］タブの［コード］で［マクロ］をクリック→「マクロ」画面が出るので、そのまま（Macro1が選ばれた状態で）［実行］をクリックします。

この結果、作成した「outdata」フォルダに以下のようにシートと同名のテキストファイルが、シートの数だけできていればOKです。念のため、各ファイルを開いて同名の各シートのデータ内容と一致しているか確認してみてください。

「パスが見つかりません。」というエラーメッセージが出た場合は、フォルダ名（または、作成場所）の間違いの可能性が高いです。作成したフォルダ名や場所をよく確認してください。

■ チャレンジ

演習5 上記のサンプルプログラム「Lesson5_4.xlsm」を改変して、テキストファイルに落とす必要のないシート（操作説明シートや計算過程のワークなど）を除いてファイル出力をするコードに変更しなさい。

ヒント

演習5 テキストファイルに落とすデータシートのシート名称を統一します（たとえば「dataXX」など）。

グラフの自動作成

本章では、グラフを自動操作するためのマクロ作りについて勉強していきます。グラフを扱う際も「マクロの記録」が有効な手段となりますので、効率的に作る方法を学びましょう。

本章で利用するサンプルデータの入ったExcelファイルを本書のWebページからダウンロードしてください(付録ページを参照)。

■ 本章で使うサンプルデータのファイル 「Lesson6.xlsx」

6-1 グラフ自動操作の基本をマスターする

では、サンプルデータの入ったファイル「Lesson6.xlsx」をご用意ください。

1 まずは、下準備のプログラム作りから始めていきます。

❶「Lesson6.xlsx」を開き、［Sheet1］を開いた状態にします。

このファイルのSheet1 ～ Sheet3の3つのシートには、以降に行う演習とまったく同じデータがセットされています。

❷ 最初に簡単な折れ線グラフを作る操作を、マクロの記録で記録していきます。まず、マクロの記録を開始します。

［開発］タブの［コード］で［マクロの記録］をクリック→「マクロの記録」画面が出るので、そのまま［OK］をクリックします。

❸ ここで、B1からC25のセル範囲を選択状態にします。12/1の24時間の時刻と流量データとその見出し（B1、C1）の部分です。

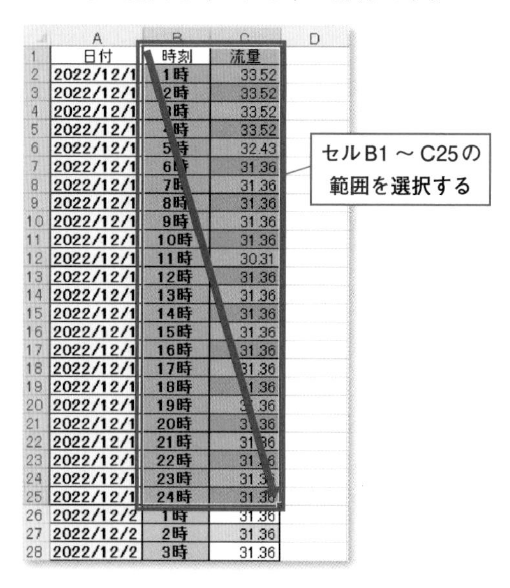

❹ 次に、選択範囲のデータから折れ線のグラフを作ります。

［挿入］タブの［グラフ］の中にある「折れ線」から左一番上の2-D折れ線をクリックします。

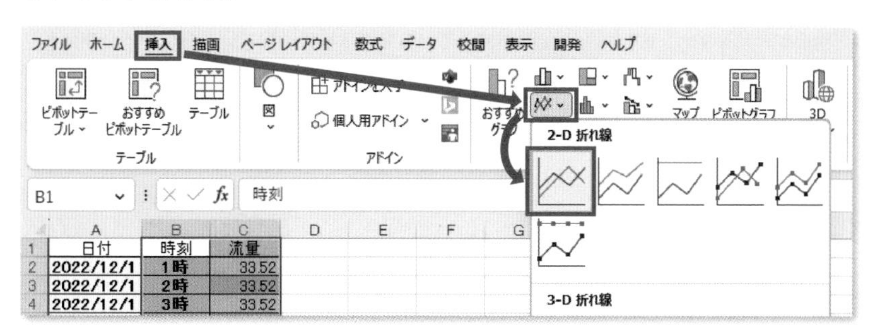

❺ 最後に、グラフの選択状態を解除するためにどこか適当なセル（A1など）をクリックしてから、マクロの記録を終了します。

［開発］タブの［コード］で［■記録終了］をクリックします。

2 今作ったプログラムの中身を見てみます。

❶ プログラム用の画面を表示します。

［開発］タブの［コード］で［Visual Basic］をクリックします。

❷ この画面の左上半分の［＋標準モジュール］という個所の＋の部分をクリックすると、そのすぐ下に［Module1］と表示されるので、その［Module1］をダブルクリックします。

```
Sub Macro1()
'
    Range("B1:C25").Select
    ActiveSheet.Shapes.AddChart2(227, xlLine).Select
    ActiveChart.SetSourceData Source:=Range("Sheet1!$B$1:$C$25")
    Range("A1").Select
End Sub
```

これは、折れ線グラフを作成するという操作を「マクロの記録」を使って記録して作ったコードです。

※なお、グラフ作成時はExcelのバージョンによって記録されるコードには若干の違いが生じる場合がありますが、同じバージョンを使っている場合は特にこの違いを気にする必要はありません。そのまま続けてください。

3 それでは、確認のため、このマクロを実行してみましょう。

❶ Excelの画面に戻ります。

❷ まず、実行する前に先ほど作ったグラフは削除してください。
グラフを選択してDeleteキーを押します。

❸ では、実行します。
［開発］タブの［コード］で［マクロ］をクリック→「マクロ」画面が出るので、そのまま［実行］をクリックします。

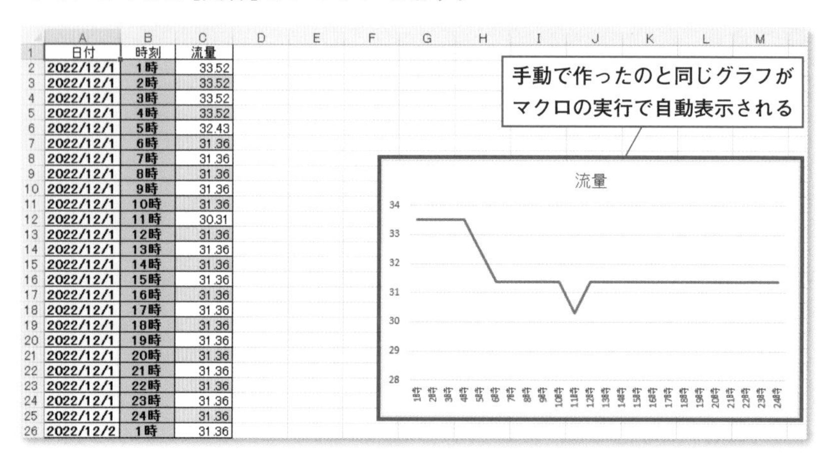

	A	B	C
1	日付	時刻	流量
2	2022/12/1	1時	33.52
3	2022/12/1	2時	33.52
4	2022/12/1	3時	33.52
5	2022/12/1	4時	33.52
6	2022/12/1	5時	32.43
7	2022/12/1	6時	31.36
8	2022/12/1	7時	31.36
9	2022/12/1	8時	31.36
10	2022/12/1	9時	31.36
11	2022/12/1	10時	31.36
12	2022/12/1	11時	30.31
13	2022/12/1	12時	31.36
14	2022/12/1	13時	31.36
15	2022/12/1	14時	31.36
16	2022/12/1	15時	31.36
17	2022/12/1	16時	31.36
18	2022/12/1	17時	31.36
19	2022/12/1	18時	31.36
20	2022/12/1	19時	31.36
21	2022/12/1	20時	31.36
22	2022/12/1	21時	31.36
23	2022/12/1	22時	31.36
24	2022/12/1	23時	31.36
25	2022/12/1	24時	31.36
26	2022/12/2	1時	31.36

これで、簡単なグラフ（デフォルト設定での）を自動作成するマクロと

して正しく動作することが確認できました。

ここからが本題です。

4 このコードを書き換えていきます。

❶ プログラムの画面を表示して、プログラムの最初の行

```
Range("B1:C25").Select
```

は必要ないので削除します。

❷ 次に、コード下部にある

```
ActiveChart.SetSourceData Source:=Range("Sheet1!$B$1:$C$25")
```

と書いてある行を、次のように修正してください。

```
ActiveChart.SetSourceData Source:=Range("B1:C1,B26:C49")
```

※修正する個所は最後のカッコの中だけです。

修正後のコードは次のようになります。

```
Sub Macro1()
'
    ActiveSheet.Shapes.AddChart2(227, xlLine).Select
    ActiveChart.SetSourceData Source:=Range("B1:C1,B26:C49")
    Range("A1").Select
End Sub
```

5 それでは、再び実行してみましょう。

❶ Excelの画面に戻って、今度は[Sheet2]を開きます。

❷ ここで実行します。

［開発］タブの［コード］で［マクロ］をクリック→「マクロ」画面が出るので、そのまま［実行］をクリックします。

どうでしょうか？ 今度は次の日（12/2）のデータのグラフができていればOKです。［Sheet2］にできたグラフの数値を確認してください。

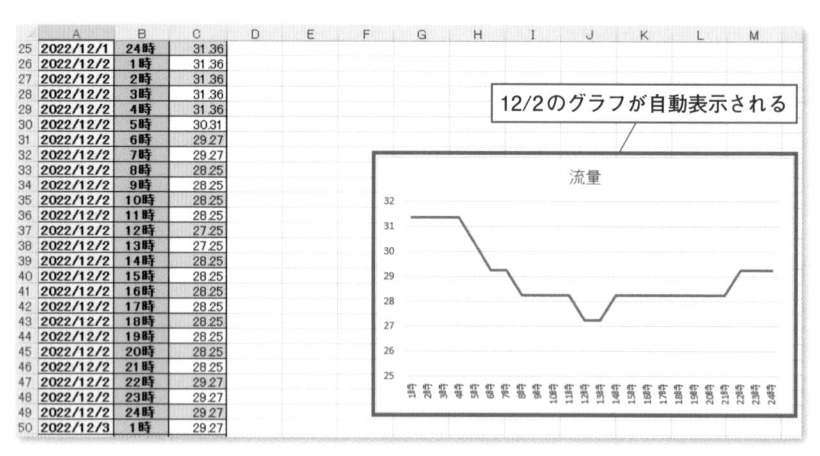

	A	B	C
25	2022/12/1	24時	31.36
26	2022/12/2	1時	31.36
27	2022/12/2	2時	31.36
28	2022/12/2	3時	31.36
29	2022/12/2	4時	31.36
30	2022/12/2	5時	30.31
31	2022/12/2	6時	29.27
32	2022/12/2	7時	29.27
33	2022/12/2	8時	28.25
34	2022/12/2	9時	28.25
35	2022/12/2	10時	28.25
36	2022/12/2	11時	28.25
37	2022/12/2	12時	27.25
38	2022/12/2	13時	27.25
39	2022/12/2	14時	28.25
40	2022/12/2	15時	28.25
41	2022/12/2	16時	28.25
42	2022/12/2	17時	28.25
43	2022/12/2	18時	28.25
44	2022/12/2	19時	28.25
45	2022/12/2	20時	28.25
46	2022/12/2	21時	28.25
47	2022/12/2	22時	29.27
48	2022/12/2	23時	29.27
49	2022/12/2	24時	29.27
50	2022/12/3	1時	29.27

先ほど修正した Range のカッコの中（"B1:C1,B26:C49"）のカンマ区切りの前半が「見出し」の指定で、後半が2日目の「データ範囲」となります。

これで、グラフに出したいデータの範囲を指定する方法が大まかにお分かりいただけたかと思います。

今回はこれで終了です。次のチャレンジにいく前に、ここでファイルを保存してください。ファイルを保存する際は、「ファイルの種類」を必ず［Excelマクロ有効Excelファイル（*.xlsm）］に変更して保存します。（以降、ここまでの状態で保存したこのファイルを「Lesson6_1.xlsm」と称します。）

※なお、以降のチャレンジを続けてやる場合には、説明の都合上、保存する際のファイル名を変更して（「Lesson6_1_演習1.xlsm」などに変えて上書きセーブをしないよう）保存するようにしてください。

グラフ作成のポイント1

グラフを自動作成するマクロ作りにも「マクロの記録」を大いに活用しましょう。その際のポイントを紹介します。

記録するグラフの種類によってコード内のxlLineの部分が次のように変わります。

xlLine（折れ線）、xlArea（面）、xlPie（円）、xlLineStacked（積み上げ折れ線）、xlLineMarkers（マーカー付き折れ線）、xlColumnClustered（棒グラフ）…

さまざまなグラフが指定できるわけです。これについても、本節でやったように「マクロの記録」で作りたい種類のグラフを作る操作を記録してみれば、簡単に確認できます。

グラフ作成のポイント2

グラフ作成の勘所は、データ範囲の指定方法にあります。

例
```
ActiveChart.SetSourceData Source:=Range("B1:C1,B26:C49")
```

データ範囲は、Range("B1:C1,B26:C49")で指定しています。カッコの中は、シート上のまとまった範囲ごとにカンマ区切りで指定します（カンマ区切りにて、離れた範囲を複数指定することもできます）。

例
```
ActiveChart.SetSourceData Source:=Range("A1:B10,D1:F10,H1:K11")
```

グラフにするデータ範囲が固定位置の場合には、これも「マクロの記録」を使って範囲選択する操作（Ctrlキーを使った）を記録してみるのが早くて便利です（マクロ記録の開始→Ctrlキーを使って飛び飛びのデータ範囲を選択→記録終了）

この例では、次のような範囲指定のコードが記録されます。

例 Range("A1:A8,C1:C8,E1:E8,G1:G8").Select

	A	B	C	D	E	F	G
1	日付／時刻	1時	2時	3時	4時	5時	6時
2	2013/12/1	10.74	10.74	10.74	10.74	10.02	10.74
3	2013/12/2	10.02	10.02	10.02	10.02	10.02	10.02
4	2013/12/3	10.74	10.74	10.74	10.02	10.02	10.02
5	2013/12/4	10.02	10.02	10.02	10.02	10.02	10.02
6	2013/12/5	10.02	10.02	10.02	10.02	10.02	10.02
7	2013/12/6	10.02	10.02	10.02	10.02	10.02	10.02
8	2013/12/7	10.02	10.02	10.02	10.02	10.02	10.02

■ チャレンジ

演習1　今度は、さらに翌日（12/3）のグラフを作成するマクロにコードを修正し、[Sheet3] を開いてマクロを実行して、同様の（12/3の24時間の）グラフを自動作成しなさい。

演習2　マクロの記録を使って、今表示されているグラフの名称を調べなさい。

演習3　今回の要領で、適当なデータに対して別の種類（折れ線以外）のグラフを自動作成するマクロを作りなさい。

演習4　自動作成するグラフのタイトルに「日付」を付加するコードに修正しなさい。

6-2 グラフを連続して自動作成する

前節は、グラフ自動作成の基本事項について学習しました。本節では、前回作成したコードにループ処理を加えることで、グラフを連続作成するプログラムを作っていきます。

Excelでのグラフ作成は、プレゼンや論文作成、実験や観測結果のまとめなど、エンジニアが求められる「数値データの可視化」に欠かせません。だからこそ、手早くマクロを組めることは、作業の効率化と時間節約になります。

それでは、前回作成したExcelファイル「Lesson6_1.xlsm」をご用意ください。

1 はじめに前回作成したコードの中身を確認します。

❶「Lesson6_1.xlsm」を開きます。黄色い帯のセキュリティ警告が表示されたら、右側の[コンテンツの有効化]ボタンを押してください。

❷ プログラムの画面を表示します。
[開発]タブの[コード]で[Visual Basic]をクリックします。

❸ プログラムが表示されてない場合は、この画面の左上半分の[+標準モジュール]という個所の+の部分をクリックすると、そのすぐ下に[Module1]と表示されるので、その[Module1]をダブルクリックします。

```
Sub Macro1()
'
    ActiveSheet.Shapes.AddChart2(227, xlLine).Select
    ActiveChart.SetSourceData Source:=Range("B1:C1,B26:C49")
    Range("A1").Select
End Sub
```

これは、「指定したデータ範囲のグラフを1つ、マクロで自動作成する」ためのプログラムです。短いコードですが、データ範囲を指定している行と、グラフの種類などを指定している行が含まれていましたね。

このマクロを実行すると、指定した範囲のデータの、指定した形式のグラフ（この例では折れ線グラフ）が自動作成されました。今回は、このプログラムを書き換えて、1回の実行で複数のグラフを作成するマクロへと機能拡張していきます。

2 このコードに手を加えます。

❶ まず、このコードの主要部分で以下の2行に注目します。

```
ActiveSheet.Shapes.AddChart2(227, xlLine).Select
ActiveChart.SetSourceData Source:=Range("B1:C1,B26:C49")
```

この2行をループ処理で挟んだ形に修正します。

```
For i = 1 To 7
    ActiveSheet.Shapes.AddChart2(227, xlLine).Select
    ActiveChart.SetSourceData Source:=Range("B1:C1,B26:C49")
Next i
```

※ループの中身はTABキーを押して見やすく字下げしてください。

❷ 次に、今のループ処理の最初の行に注目します。

```
For i = 1 To 7
```

この行のすぐ上に、次の1行を追加します。

```
k = 2
```

❸ さらに、ループ処理の最後の

```
Next i
```

の行のすぐ上に、次の1行を追加します(インデントにご注意ください)。

```
k = k + 24
```

❹ 最後に、今追加した1行のすぐ上の1行目

```
ActiveChart.SetSourceData Source:=Range("B1:C1,B26:C49")
```

となっている行を、次のように修正します。

```
ActiveChart.SetSourceData Source:=Range("B1:C1,B" & k & ":C" & k + 23)
```

※直すのはカッコの中だけです。

修正後のコードは次のようになります。

```
Sub Macro1()
'
    k = 2
    For i = 1 To 7
        ActiveSheet.Shapes.AddChart.Select
        ActiveChart.ChartType = xlLine
        ActiveChart.SetSourceData Source:=Range("B1:C1,B" & k & ":C"
& k + 23)
        k = k + 24
    Next i
    Range("A1").Select
End Sub
```

それでは、詳しく解説していきましょう。

最初に、ループの For i = 1 To 7 が 7 なのは、今回のテストデータが7日分あるからです(そのため、とりあえずこのマクロでは、7つのグラフを連続作成します)。

次に、最初のk = 2 です。変数k には作成するグラフの最初のデータ位置を入れます。最初のグラフのデータ開始行が見出しを除く2行目なので、2を代入します。

少しややこしいのはここからです。

ループ内最後の行 k = k + 24 では、1日分（1つのグラフ分）のデータが今回のテストデータでは24行（24時間分）あるため、24を足しています。仮に、1つ分のグラフのデータが12行（半日分）あるという場合であれば、ここは k = k + 12 となります。

一番の注意点は、データ範囲を指定している行の最後の k + 23です。これはデータ行数の24ではなく（24マイナス1の）23となるのがポイントです。1つのグラフでの、データの最後の行を示しますので、ループの中は次のブロックの最初の行のマイナス1となります。つまり、k + 23 はこのデータの最後の位置で、k + 24 は次のデータの最初の位置を意味します。

データ範囲を指定しているのが、Range のカッコの中です。

```
Range("B1:C1,B" & k & ":C" & k + 23)
```

ちょっとややこしいですが、以下の基本に沿って見ていきましょう。

- まず一つ一つのパーツに分ける。
- それを&マークでつなぐ。
- 変数名は絶対に "" で囲まない。

書き換える前の"B1:C1,B26:C49" を見てみましょう。これを個別のパーツに分けてみると、

```
"B1:C1,B26:C49"
    ↓
"B1:C1,B"
26
":C"
49
```

となります。この固定の数字の26を変数のkに、49をk + 23（1回分のデータ数-1）に、それぞれ置き換えてみましょう。

すると、

```
"B1:C1,B"
k
":C"
k + 23
```

となります。これらを&マークでつなぎ合せて1行にすると

```
"B1:C1,B" & k & ":C" & k + 23
```

になります。つまり、固定していた数字を可変にしたわけです。

なお、グラフのデータ範囲を指定する場合のように、飛び飛びになる範囲を指定しがちなときにはCells は使えません。必ずRange および&マークを使った書き方になります。汎用性があり、多くの場面で使えますので、この Range と&マークでつないだ書き方に慣れておくとよいでしょう。

3 それでは、実行してみましょう。

❶ Excelの画面に戻って、まだ使っていない［Sheet3］を開きます。

❷ では、実行します。

［開発］タブの［コード］で［マクロ］をクリック→「マクロ」画面が出るので、そのまま［実行］をクリックします。

いかがでしょうか？

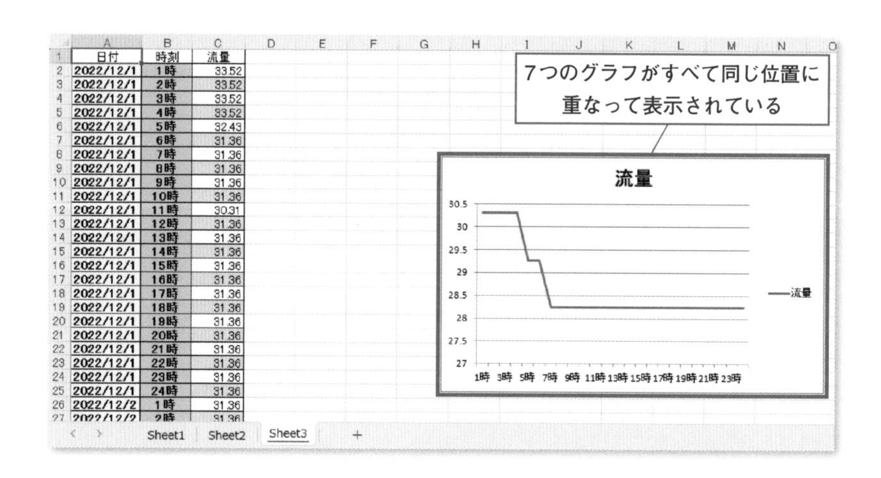

	A	B	C
1	日付	時刻	流量
2	2022/12/1	1時	33.52
3	2022/12/1	2時	33.52
4	2022/12/1	3時	33.52
5	2022/12/1	4時	33.52
6	2022/12/1	5時	32.43
7	2022/12/1	6時	31.36
8	2022/12/1	7時	31.36
9	2022/12/1	8時	31.36
10	2022/12/1	9時	31.36
11	2022/12/1	10時	31.36
12	2022/12/1	11時	30.31
13	2022/12/1	12時	31.36
14	2022/12/1	13時	31.36
15	2022/12/1	14時	31.36
16	2022/12/1	15時	31.36
17	2022/12/1	16時	31.36
18	2022/12/1	17時	31.36
19	2022/12/1	18時	31.36
20	2022/12/1	19時	31.36
21	2022/12/1	20時	31.36
22	2022/12/1	21時	31.36
23	2022/12/1	22時	31.36
24	2022/12/1	23時	31.36
25	2022/12/1	24時	31.36
26	2022/12/2	1時	31.36
27	2022/12/2	2時	31.36

自動作成された7つのグラフは同じ位置に重なっていますので、上方のグラフをつかんで前後左右にずらし、7つとも見える位置に配置し直して、作成されたグラフが表の各日にちの計測値データと一致していることを確認してみてください（一番上にあったのが最後に出力された12/7のグラフで、次が12/6、というように、一番下のグラフが最初に作成された12/1のグラフになります）。

なお、グラフの表示位置の指定（重ならない方法）については、次回に説明します。

今回はこれで終了です。ここでいったんファイルを保存してください。ファイルを保存する際は、「ファイルの種類」を必ず［Excelマクロ有効Excelファイル（*.xlsm）］にて保存します。（以降、ここまでの状態で保存したこのファイルを「Lesson6_2.xlsm」と称します。）

6-3 グラフの出力位置を指定する

前節は、複数のグラフを連続して自動作成するところまでを勉強しました。本節では、グラフの位置を指定して表示するプログラムを作っていきます。

それでは、前回作成したExcelファイル「Lesson6_2.xlsm」をご用意ください。

1 はじめに前回作成したコードの中身を確認します。

❶「Lesson6_2.xlsm」を開きます。黄色い帯のセキュリティ警告が表示されたら、右側の[コンテンツの有効化]ボタンを押してください。

❷ プログラムの画面を表示します。

[開発]タブの[コード]で[Visual Basic]をクリックします。

```
Sub Macro1()
'
    k = 2
    For i = 1 To 7
        ActiveSheet.Shapes.AddChart.Select
        ActiveChart.ChartType = xlLine
        ActiveChart.SetSourceData Source:=Range("B1:C1,B" & k & ":C" &
k + 23)
        k = k + 24
    Next i
    Range("A1").Select
End Sub
```

このコードは、複数のグラフを連続して自動作成します。1週間分となる7つのグラフが自動作成され、重なって表示されたのを前節で確認しましたね。

今回は、グラフ表示位置の調節について学び、重なって表示されないようにしてみましょう。

[2] このコードを少し書き換えます。

❶ まず、データ範囲を指定している行に注目します。

```
ActiveChart.SetSourceData Source:=Range("B1:C1,B" & k & ":C" & k + 5)
```

この行の下(k = k + 24 の上)に、次の2行を追加します。

```
ActiveSheet.ChartObjects(i).Top = Range("E" & k).Top
ActiveSheet.ChartObjects(i).Left = Range("E" & k).Left
```

修正後のコードは次のようになります。

```
Sub Macro1()
'
    k = 2
    For i = 1 To 7
        ActiveSheet.Shapes.AddChart.Select
        ActiveChart.ChartType = xlLine
        ActiveChart.SetSourceData Source:=Range("B1:C1,B" & k &
":C" & k + 23)
        ActiveSheet.ChartObjects(i).Top = Range("E" & k).Top
        ActiveSheet.ChartObjects(i).Left = Range("E" & k).Left
        k = k + 24
    Next i
    Range("A1").Select
End Sub
```

今追加した2行

```
ActiveSheet.ChartObjects(i).Top = Range("E" & k).Top
ActiveSheet.ChartObjects(i).Left = Range("E" & k).Left
```

は、それぞれ

グラフ表示位置の移動（縦方向）

グラフ表示位置の移動（横方向）

を意味します。文字通り、Top（上から）と、Left（左から）の位置です。

グラフの移動に関して知るために、「マクロの記録」を使って、グラフをつかんで移動する操作をコードに記録してみると、次のようになります。

```
Sub Macro2()
'
    ActiveSheet.ChartObjects("グラフ 1").Activate
    ActiveChart.ChartTitle.Select
    ActiveChart.ChartArea.Select
    ActiveSheet.Shapes("グラフ 1").IncrementLeft 90.75
    ActiveSheet.Shapes("グラフ 1").IncrementTop 33.75
End Sub
```

この場合、グラフ名が必要だったり、移動の数字も細かく指定する必要があったりと、少々扱い方が難しくなっています。

そこで、今回用いるのが、上記で追加した2行です。これは、「グラフの名称」を名称いらずの「番号」で表し、また、ずらす位置の指定を「セル指定」で示す、といった方法になります。

グラフの「番号」というのは、スポーツ選手の背番号のようなものと考えてください。その「背番号」を使うことにより、上記カッコ内の"グラフ1"といった内部の名称をいちいち調べなくても、グラフなどの図を扱うことができます。「Sheet1の1番目のグラフを移動する」といった（より柔軟な）書き方が可能です。

なお、このようなグラフに勝手に割り当てられる「番号」は、そのシート上に作成した順に、自動的に（Excelの内部で）割り振られます。

位置の指定方法については、細かな数字ではなくて、たとえば次のようにできます。

```
Range("E5").Top
Range("E5").Left
```

この場合は、指定したセル位置（この例ではE5のセル）のトップとレフトの位置、つまり、そのセル（四角形）の左上端の位置に合わせて表示します。

3 それでは、実行してみましょう。

❶ Excelの画面に戻って、開いている［Sheet3］にあるグラフ（7つ）をすべて削除してください。

❷ では、実行します。

［開発］タブの［コード］で［マクロ］をクリック→「マクロ」画面が出るので、そのまま［実行］をクリックします。

いかがでしょうか？

シートの下方までスクロールしてグラフの7つが適度な位置に配置されたことを確認してください。各グラフが縦にE列ぞろいで、該当日にちのデータの横の位置に配置されていればOKです。

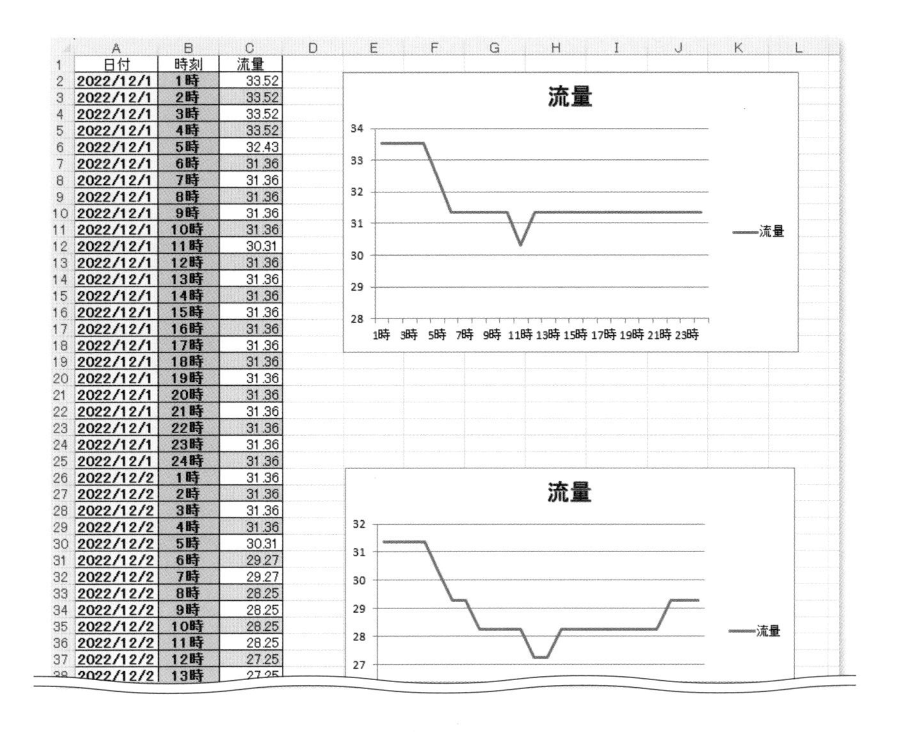

	A	B	C
1	日付	時刻	流量
2	2022/12/1	1時	33.52
3	2022/12/1	2時	33.52
4	2022/12/1	3時	33.52
5	2022/12/1	4時	33.52
6	2022/12/1	5時	32.43
7	2022/12/1	6時	31.36
8	2022/12/1	7時	31.36
9	2022/12/1	8時	31.36
10	2022/12/1	9時	31.36
11	2022/12/1	10時	31.36
12	2022/12/1	11時	30.31
13	2022/12/1	12時	31.36
14	2022/12/1	13時	31.36
15	2022/12/1	14時	31.36
16	2022/12/1	15時	31.36
17	2022/12/1	16時	31.36
18	2022/12/1	17時	31.36
19	2022/12/1	18時	31.36
20	2022/12/1	19時	31.36
21	2022/12/1	20時	31.36
22	2022/12/1	21時	31.36
23	2022/12/1	22時	31.36
24	2022/12/1	23時	31.36
25	2022/12/1	24時	31.36
26	2022/12/2	1時	31.36
27	2022/12/2	2時	31.36
28	2022/12/2	3時	31.36
29	2022/12/2	4時	31.36
30	2022/12/2	5時	30.31
31	2022/12/2	6時	29.27
32	2022/12/2	7時	29.27
33	2022/12/2	8時	28.25
34	2022/12/2	9時	28.25
35	2022/12/2	10時	28.25
36	2022/12/2	11時	28.25
37	2022/12/2	12時	27.25
38	2022/12/2	13時	27.25

ループ内の、今回追加した2行に注目してください。

```
ActiveSheet.ChartObjects(i).Top = Range("E" & k).Top
ActiveSheet.ChartObjects(i).Left = Range("E" & k).Left
```

これらの行は、ループをくり返すごとに、次の内容を実行します。

●1回目のループ（1つめのグラフの移動位置）

```
ActiveSheet.ChartObjects(1).Top = Range("E2").Top
ActiveSheet.ChartObjects(1).Left = Range("E2").Left
```

●2回目のループ（2つめのグラフの移動位置）

```
ActiveSheet.ChartObjects(2).Top = Range("E26").Top
ActiveSheet.ChartObjects(2).Left = Range("E26").Left
```

●3回目のループ（3つめのグラフの移動位置）

```
ActiveSheet.ChartObjects(3).Top = Range("E50").Top
ActiveSheet.ChartObjects(3).Left = Range("E50").Left
```

こうしたシート内での位置合わせは、手作業でやる際にも何かと厄介かつ面倒なものです。今回マクロを活用した最もやさしい方法をご紹介しましたので、ぜひセル位置で表示位置を指定する際にご活用ください。

今回はこれで終了です。ここでいったんファイルを保存してください。ファイルを保存する際は、「ファイルの種類」を必ず［Excelマクロ有効Excelファイル(*.xlsm)］にて保存します（以降、ここまでの状態で保存したこのファイルを「Lesson6_3.xlsm」と称します）。

6-4 グラフのサイズを自動調整する

表示するグラフの位置合わせができるようになったところで、本節ではサイズの調節を自動で行うプログラムを作ります。ここのポイントは「うまく大きさを変える方法」です。

それでは、前回作成したExcelファイル「Lesson6_3.xlsm」をご用意ください。

1 はじめに前回作成したコードを確認しましょう。

❶「Lesson6_3.xlsm」を開きます。黄色い帯のセキュリティ警告が表示されたら、右側の[コンテンツの有効化]ボタンを押してください。

❷ プログラムの画面を表示します。

[開発]タブの[コード]で[Visual Basic]をクリック→[標準モジュール]下の[Module1]をダブルクリックして「Macro1」を開きます。

```
Sub Macro1()
'
    k = 2
    For i = 1 To 7
        ActiveSheet.Shapes.AddChart.Select
        ActiveChart.ChartType = xlLine
        ActiveChart.SetSourceData Source:=Range("B1:C1,B" & k &
":C" & k + 23)
        ActiveSheet.ChartObjects(i).Top = Range("E" & k).Top
        ActiveSheet.ChartObjects(i).Left = Range("E" & k).Left
        k = k + 24
    Next i
    Range("A1").Select
End Sub
```

これは複数のグラフを連続して自動作成するためのコードでしたね。このマクロを実行すると7つのグラフが自動作成され、グラフの位置もずらして表示する（デフォルトでは重なってすべてが同じ位置に表示さるため）ところまでを行うコードです。

今回は、さらにグラフの大きさを自動調節して表示できるよう、このコードを書き換えていきます。

2 このコードに手を加えます。

❶ まず、次の行

ActiveSheet.ChartObjects(i).Left = Range("E" & k).Left

の下（k = k + 24 の上）に、次の2行を追加します。

ActiveSheet.ChartObjects(i).Width = 150

ActiveSheet.ChartObjects(i).Height = 100

修正後のコードは次のようになります。

```
Sub Macro1()
'
    k = 2
    For i = 1 To 7
        ActiveSheet.Shapes.AddChart.Select
        ActiveChart.ChartType = xlLine
        ActiveChart.SetSourceData Source:=Range("B1:C1,B" & k & ":C" &
k + 23)
        ActiveSheet.ChartObjects(i).Top = Range("E" & k).Top
        ActiveSheet.ChartObjects(i).Left = Range("E" & k).Left
        ActiveSheet.ChartObjects(i).Width = 150
        ActiveSheet.ChartObjects(i).Height = 100
        k = k + 24
    Next i
    Range("A1").Select
End Sub
```

追加した2行

```
ActiveSheet.ChartObjects(i).Width = 150
ActiveSheet.ChartObjects(i).Height = 100
```

は、それぞれ

　グラフのサイズ指定（横幅）

　グラフのサイズ指定（高さ）

を示します。Width（幅）と、Height（高さ）は、前節の位置合わせ（この上の2行のTopやLeft）と似ているので、分かりやすいでしょう。

　グラフは背番号（作った順に1番から自動で振られる内部番号）を使って操作するほうが簡単なのも、前回と同様です（ActiveSheet.ChartObjects(i)のカッコ内のiの部分です）。

　この場合に問題となるのが、右側の数字です。上記のWidth = 150とHeight = 100での数字は、仮のものです。前回の位置合わせと同様、シート上でのサイズ合わせは手動で行う場合にも往々にして難しくなりがちです。今回は「うまく大きさを変える方法」を用いて、簡単に指定できるようにします。

3 まずはこのコードを実行して確認してみましょう。

❶ Excelの画面に戻って、開いている［Sheet3］にあるグラフ（7つ）をすべて削除してください（グラフをすべて選択してDeleteキーを押す）。

❷ では、実行します。

　［開発］タブの［コード］で［マクロ］をクリック→「マクロ」画面が出るので、そのまま［実行］をクリックします。

　いかがでしょうか？ 表示された各グラフが、ちょっと小さ過ぎのサイズで表示されればOKです。

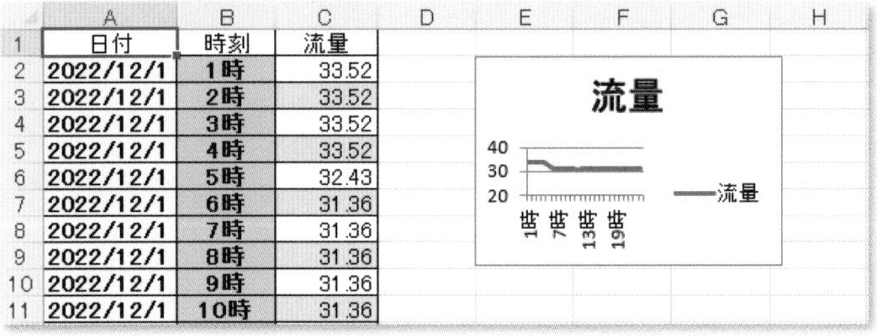

	A	B	C
1	日付	時刻	流量
2	2022/12/1	1時	33.52
3	2022/12/1	2時	33.52
4	2022/12/1	3時	33.52
5	2022/12/1	4時	33.52
6	2022/12/1	5時	32.43
7	2022/12/1	6時	31.36
8	2022/12/1	7時	31.36
9	2022/12/1	8時	31.36
10	2022/12/1	9時	31.36
11	2022/12/1	10時	31.36

では、「うまく大きさを変える方法」に取り組んでいきましょう。

最初に、前回の位置合わせと同様、セルを基準にする方法を紹介します。そのコードを以下で作っていきます。

4 コードを少し書き換えます。

❶ プログラムの画面を表示して、先ほど追加した2行

```
ActiveSheet.ChartObjects(i).Width = 150
ActiveSheet.ChartObjects(i).Height = 100
```

を以下のように修正してください。

```
ActiveSheet.ChartObjects(i).Width = Range("E2:J24").Width
ActiveSheet.ChartObjects(i).Height = Range("E2:J24").Height
```

修正後のコードは次のようになります。

```
Sub Macro1()
'
    k = 2
    For i = 1 To 7
        ActiveSheet.Shapes.AddChart.Select
        ActiveChart.ChartType = xlLine
        ActiveChart.SetSourceData Source:=Range("B1:C1,B" & k & ":C" &
k + 23)
        ActiveSheet.ChartObjects(i).Top = Range("E" & k).Top
        ActiveSheet.ChartObjects(i).Left = Range("E" & k).Left
```

```
        ActiveSheet.ChartObjects(i).Width = Range("E2:J24").Width
        ActiveSheet.ChartObjects(i).Height = Range("E2:J24").Height
        k = k + 24
    Next i
    Range("A1").Select
End Sub
```

5 確認のために実行してみましょう。

❶ Excelの画面に戻って、今このシートにあるグラフ（7つ）をすべて削除しておいてください（グラフをすべて選択してDeleteキーを押す）。

❷ では、実行します。

［開発］タブの［コード］で［マクロ］をクリック→「マクロ」画面が出るので、そのまま［実行］をクリックします。

いかがでしょうか？ 今度は、グラフのサイズが次の図のような大きさで表示されればOKです。

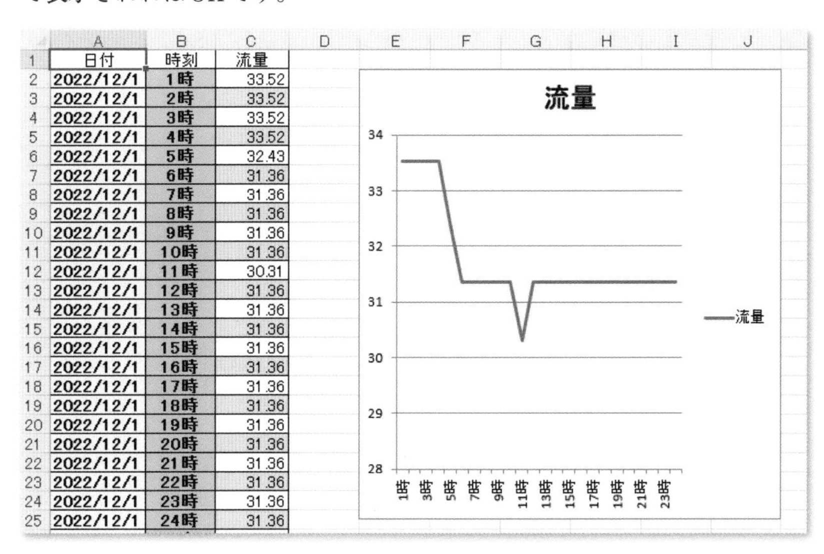

	A	B	C
1	日付	時刻	流量
2	2022/12/1	1時	33.52
3	2022/12/1	2時	33.52
4	2022/12/1	3時	33.52
5	2022/12/1	4時	33.52
6	2022/12/1	5時	32.43
7	2022/12/1	6時	31.36
8	2022/12/1	7時	31.36
9	2022/12/1	8時	31.36
10	2022/12/1	9時	31.36
11	2022/12/1	10時	31.36
12	2022/12/1	11時	30.31
13	2022/12/1	12時	31.36
14	2022/12/1	13時	31.36
15	2022/12/1	14時	31.36
16	2022/12/1	15時	31.36
17	2022/12/1	16時	31.36
18	2022/12/1	17時	31.36
19	2022/12/1	18時	31.36
20	2022/12/1	19時	31.36
21	2022/12/1	20時	31.36
22	2022/12/1	21時	31.36
23	2022/12/1	22時	31.36
24	2022/12/1	23時	31.36
25	2022/12/1	24時	31.36

先のコード修正で、次のように指定しました。

```
Range("E2:J24").Width
Range("E2:J24").Height
```

指定したセル範囲である"E2:J24"のサイズにちょうど収まる大きさ(WidthとHeight)にグラフのサイズが変わったわけです。これが、セルの大きさに合わせてグラフの大きさを調整する方法です。

なお、Rangeでのカッコ内のセル範囲("E2:J24")は、その幅および高さを計るために用いているだけです。ループ内でいちいちこれを可変的な書き方("E" & kなど)に直す必要は基本的にはありません。今回の場合(シートのデフォルト状態では)、行と列の幅や高さはどこのセルでも同じサイズですから、どこか1カ所で指定すれば、あとはすべて同じサイズとなります。

続いて、もう一つ、「うまく大きさを変える方法」を紹介します。

6 コードをまた書き換えます。

❶ プログラムの画面を表示して、先ほど追加した2行

```
ActiveSheet.ChartObjects(i).Width = Range("E2:J24").Width
ActiveSheet.ChartObjects(i).Height = Range("E2:J24").Height
```

を、下記に修正してください(実際はそれぞれ1行です)。

```
ActiveSheet.ChartObjects(i).Width = ActiveSheet.ChartObjects(i)
.Width * 0.5
ActiveSheet.ChartObjects(i).Height = ActiveSheet.ChartObjects(i)
.Height * 0.7
```

修正後のコードは次のようになります。

```
Sub Macro1()
'
    k = 2
    For i = 1 To 7
        ActiveSheet.Shapes.AddChart.Select
        ActiveChart.ChartType = xlLine
        ActiveChart.SetSourceData Source:=Range("B1:C1,B" & k & ":C" & k
+ 23)
        ActiveSheet.ChartObjects(i).Top = Range("E" & k).Top
        ActiveSheet.ChartObjects(i).Left = Range("E" & k).Left
        ActiveSheet.ChartObjects(i).Width = ActiveSheet.ChartObjects(i).
Width * 0.5
        ActiveSheet.ChartObjects(i).Height = ActiveSheet.ChartObjects(i).
Height * 0.7
        k = k + 24
    Next i
    Range("A1").Select
End Sub
```

7 確認のために、実行してみましょう。

❶ Excelの画面に戻って、今このシートにあるグラフ（7つ）をすべて削除しておいてください（グラフをすべて選択してDeleteキーを押す）。

❷ では、実行します。

［開発］タブの［コード］で［マクロ］をクリック→「マクロ」画面が出るので、そのまま［実行］をクリックします。

いかがでしょうか？　これは、グラフのサイズを相対的に変更する（この例では、幅を0.5倍に、高さを0.7倍に、変更する）方法です。

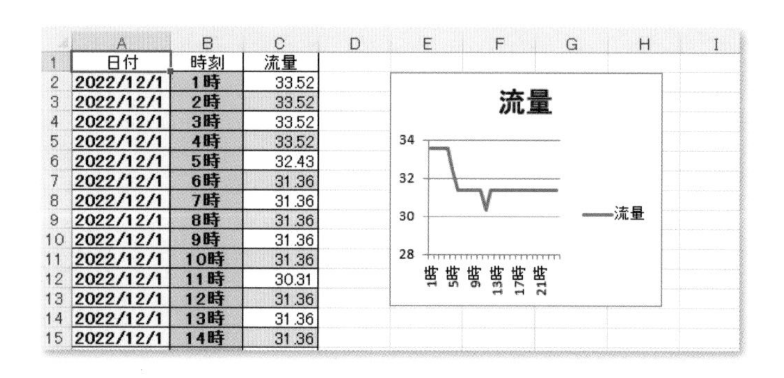

	A	B	C
1	日付	時刻	流量
2	2022/12/1	1時	33.52
3	2022/12/1	2時	33.52
4	2022/12/1	3時	33.52
5	2022/12/1	4時	33.52
6	2022/12/1	5時	32.43
7	2022/12/1	6時	31.36
8	2022/12/1	7時	31.36
9	2022/12/1	8時	31.36
10	2022/12/1	9時	31.36
11	2022/12/1	10時	31.36
12	2022/12/1	11時	30.31
13	2022/12/1	12時	31.36
14	2022/12/1	13時	31.36
15	2022/12/1	14時	31.36

では、今回行った「サイズ変更の方法」をまとめましょう。元の

```
ActiveSheet.ChartObjects(i).Width = 150
ActiveSheet.ChartObjects(i).Height = 100
```

は絶対サイズです。変更する大きさを直接数字で指定しています。

次の「うまく大きさを変える方法」で用いた

```
ActiveSheet.ChartObjects(i).Width = Range("E2:J24").Width
ActiveSheet.ChartObjects(i).Height = Range("E2:J24").Height
```

も、絶対サイズです。ただし、こちらは直接の数字ではなく、指定したセルの大きさに基づいて表示する方法になります。

最後の「うまく大きさを変える方法」で用いた

```
ActiveSheet.ChartObjects(i).Width = ActiveSheet.ChartObjects(i).
Width * 0.5
ActiveSheet.ChartObjects(i).Height = ActiveSheet.ChartObjects(i).
Height * 0.7
```

は、元の大きさに対する割合で（相対的に）指定する方法です。

今回はこれで終了です。ここでファイルをいったん保存してください。ファイルを保存する際は、「ファイルの種類」を必ず［Excelマクロ有効Excelファイル（*.xlsm）］にて保存します（以降、ここまでの状態で保存したこのファイルを「Lesson6_4.xlsm」と称します）。

6-5 グラフを一括で削除する

本節では、グラフを削除する方法を学びます。前節までは、作成したグラフをマクロの実行前にいちいち手作業で削除してきましたが、少々面倒でした。本節ではシート上に作ったグラフを、一発ですべて削除するマクロを作ってみます。

それでは、前回作成したExcelファイル「Lesson6_4.xlsm」をご用意ください。

1 はじめに前回作成したコードを確認します。

❶「Lesson6_4.xlsm」を開きます。黄色い帯のセキュリティ警告が表示されたら、右側の[コンテンツの有効化]ボタンを押してください。

❷ プログラムの画面を表示します。

[開発]タブの[コード]で[Visual Basic]をクリック→[標準モジュール]下の[Module1]をダブルクリックして「Macro1」を開きます。

```
Sub Macro1()
'
    k = 2
    For i = 1 To 7
        ActiveSheet.Shapes.AddChart.Select
        ActiveChart.ChartType = xlLine
        ActiveChart.SetSourceData Source:=Range("B1:C1,B" & k & ":C"
& k + 23)
        ActiveSheet.ChartObjects(i).Top = Range("E" & k).Top
        ActiveSheet.ChartObjects(i).Left = Range("E" & k).Left
        ActiveSheet.ChartObjects(i).Width = ActiveSheet.ChartObjects
(i).Width * 0.5
        ActiveSheet.ChartObjects(i).Height = ActiveSheet.ChartObjects
(i).Height * 0.7
        k = k + 24
```

```
    Next i
    Range("A1").Select
End Sub
```

これは、複数のグラフを、位置を調節しながら自動的に作成するプログラムでしたね。今回は、そうしてできた多数のグラフを、一括して消す(いっぺんにすべてのグラフを消去する)マクロを作ります。

1 まず、マクロの記録を使って、ちょっとしたコードを作成するところから始めます。

❶ Excelの画面に戻って、[Sheet3](前回の実行で自動作成した7つのグラフが表示されている状態のシート)を開いてください。

❷ では、マクロの記録を開始します。

[開発]タブの[コード]で[マクロの記録]をクリック →「マクロの記録」画面が出るので、そのまま[OK]をクリックします。

❸ ここで、前回作成したグラフを(どれか1つ)選択して、Deleteキーを押してそのグラフを削除します。

❹ [開発]タブの[コード]で[■記録終了]をクリックして、マクロの記録を終了します。

2 作ったコードの中身を見てみましょう。

❶ 再びプログラムの画面を表示します。

[開発]タブの[コード]で[Visual Basic]をクリックします。

❷ この画面の左側にある［－標準モジュール］という個所の下の一番下［Module2］をダブルクリックします。

```
Sub Macro2()
'
    ActiveSheet.ChartObjects("グラフ 22").Activate
    ActiveChart.Parent.Delete
End Sub
```

※この数字の部分に関しては上記と違っていてもまったく問題はありません（マクロ名もMacro3でもMacro2でも構いませんので、以降はその名称に合わせて読み進めてください）。

3 このコードに少々手を加えます。

❶ 最初の行の

```
ActiveSheet.ChartObjects("グラフ 22").Activate
```

を、次のように修正してください。

```
ActiveSheet.ChartObjects(1).Activate
```

※カッコの中を数字の1に直すだけです。前後に"マークは付けません。

修正後のコードは次のようになります。

```
Sub Macro2()
'
    ActiveSheet.ChartObjects(1).Activate
    ActiveChart.Parent.Delete
End Sub
```

4 それでは、実行してみましょう。

❶ Excelの画面に戻ります。

❷ では、実行します。

［開発］タブの［コード］で［マクロ］をクリック→「マクロ」画面が出るので、マクロ名に「Macro2」を選んでから［実行］をクリックします。

❸ それでは、続けてもう一度実行してみましょう。

［開発］タブの［コード］で［マクロ］をクリック→「マクロ」画面が出るので、マクロ名に「Macro2」を選んでから［実行］をクリックします。

いかがでしょうか？ このマクロを実行するたびに、グラフが1つずつ減っていくのが確認できればOKです。

先ほどの修正を見直してください。カッコ内のグラフの名称の部分（"グラフ 22"）を、背番号の1に置き換えましたね。その下の行と合わせた2行の意味は、今の（マクロを実行した時点の）シート上にあるグラフの中で、最初に（1番目に）作られたグラフを選んで削除する、となります。

```
ActiveSheet.ChartObjects(1).Activate
ActiveChart.Parent.Delete
```

これでグラフを1つずつ削除できるようになりました。あとはループを使って、複数のグラフすべてを一度に削除できるようにするだけです。

5 コードに手を加えていきます。

❶ コードの次の2行

```
ActiveSheet.ChartObjects(1).Activate
ActiveChart.Parent.Delete
```

をループ文で挟んで次のようにします。

```
For i = 1 To 10
    ActiveSheet.ChartObjects(1).Activate
    ActiveChart.Parent.Delete
Next i
```

❷ 次に、今回はそのループのFor文の行

```
For i = 1 To 10
```

を、次のように修正します。

```
For i = m To 1 Step -1
```

❸ 次に、今修正したFor文の上に 以下の1行を追加します。

```
m = ActiveSheet.ChartObjects.Count
```

❹ 最後に、いまのループ処理の中の固定の部分を、可変に変えます。

```
ActiveSheet.ChartObjects(1).Activate
```

を、

```
ActiveSheet.ChartObjects(i).Activate
```

に、修正してください（カッコの中の数字の1をアルファベットのiに直すだけです）。

修正後のコードは次のようになります。

```
Sub Macro2()
'
    m = ActiveSheet.ChartObjects.Count
    For i = m To 1 Step -1
        ActiveSheet.ChartObjects(i).Activate
        ActiveChart.Parent.Delete
    Next i
End Sub
```

このコードを解説しましょう。

今回のポイントは、削除するときにはループは必ず逆から回す、です。これは、「行」や「列」、「シート」、今回の「グラフ」のいずれにおいても、削除する場合には、上から行うと削除した分がずれてしまいます（たとえば、1行目を削除すれば2行目が1行目になる……）。そのため、下から順番に処理していく必要があるわけです。

その場合には、上記❷で修正したようにFor文の数字を逆にしたうえで、

```
For i = 1 To 10 → For i = 10 To 1
```

その後に Step -1 を付けるようにします。これで逆から（下から）処理できるようなります。

今回はグラフを削除するためのループ処理ですから、次の行の

```
m = ActiveSheet.ChartObjects.Count
```

でシート上にあるグラフの数を、変数のmに入れて、

```
For i = m To 1 Step -1
```

で背番号が最後の（m番目の）グラフから順番に削除するようにしています。

6 それでは、再び実行してみましょう。

❶ Excelの画面に戻ります。

❷ 削除するためのグラフを作っておきましょう。前回作ったMacro1（グラフを複数自動作成するマクロ）を実行しておきます。

［開発］タブの［コード］で［マクロ］をクリック→「マクロ」画面が出るので、そのまま（Macro1が選ばれた状態で）［実行］をクリックします。

❸ 上記の実行で、このシート上に複数のグラフがあることを確認してく

ださい（シート上に多くのグラフが存在していればOKです。）

❹ それでは、今度はMacro2（グラフをすべて削除するマクロ）を実行します。

［開発］タブの［コード］で［マクロ］をクリック→「マクロ」画面が出るので、マクロ名に「Macro2」を選んでから［実行］をクリックします。

いかがでしょうか？ このシート上に表示されていたすべてのグラフが削除されれば（グラフが1つも残っていない状態であれば）OKです。

	A	B	C	D	E	F	G	H
1	日付	時刻	流量					
2	2022/12/1	1時	33.52					
3	2022/12/1	2時	33.52					
4	2022/12/1	3時	33.52					
5	2022/12/1	4時	33.52					
6	2022/12/1	5時	32.43					
7	2022/12/1	6時	31.36					
8	2022/12/1	7時	31.36					
9	2022/12/1	8時	31.36					
60	2022/12/7	15時	28.25					
61	2022/12/7	16時	28.25					
62	2022/12/7	17時	28.25					
63	2022/12/7	18時	28.25					
64	2022/12/7	19時	28.25					
65	2022/12/7	20時	28.25					
66	2022/12/7	21時	28.25					
67	2022/12/7	22時	28.25					
68	2022/12/7	23時	28.25					
69	2022/12/7	24時	28.25					

複数あったグラフがすべて消えている

今回は少々ややこしかったので、改めてポイントをまとめておきます。

- グラフの場合も（行や列やシートの削除と同様に）消すたびに番号はずれていくので、For文の Step -1を使って必ず後ろからループを回すこと。
- この場合にもグラフの名称は使わずに「背番号」（内部割り当てのシーケンシャル番号）」を使うこと。

これらは実は、グラフに限ったものではありません。よく使うテキストボックスやオートシェイプなどにも応用が利きます（マクロの記録を使ってちょっと書き方を調べてみるとよいでしょう）。

例 テキストボックス（1つ）を削除するコード

```
Sub Sample1()
'
ActiveSheet.Shapes.Range(Array("TextBox 2")).Select
Selection.Delete
End Sub
```

例 上記を今回同様のループ処理に書き換えたコード

```
Sub Sample2()
'
    m = ActiveSheet.Shapes.Count
    For i = m To 1 Step -1
        ActiveSheet.Shapes.Range(Array(i)).Select
        Selection.Delete
    Next i
End Sub
```

なお、今回のグラフの数を数える構文は、

```
m = ActiveSheet.ChartObjects.Count
```

でしたが、テキストボックスを含め［挿入］タブの図で作れるオートシェイプ系（図形描画機能）で作った図の数は、

```
m = ActiveSheet.Shapes.Count
```

で個数を数えることができます。その個数分のループを逆から回してやれば、

```
For i = m To 1 Step -1
```

となり、これでオートシェイプの場合もすべてを一括で削除できます。

また、開いているシート上にあるグラフや図をすべて消したいのであれ

ば、今回作成したコードと上記コードにより実現できます。

例 シート上のすべてのグラフや図形を同時に削除するコード

```
Sub Macro3()
'
    m = ActiveSheet.ChartObjects.Count
    For i = m To 1 Step -1
        ActiveSheet.ChartObjects(i).Activate
        ActiveChart.Parent.Delete
    Next i
    m = ActiveSheet.Shapes.Count
    For i = m To 1 Step -1
        ActiveSheet.Shapes.Range(Array(i)).Select
        Selection.Delete
    Next i
End Sub
```

試しに、［挿入］タブ→図のグループにあるボタンで多くの図形と、写真やイラストなどをシートに挿入してから、上記のMacro3を実行してみてください。

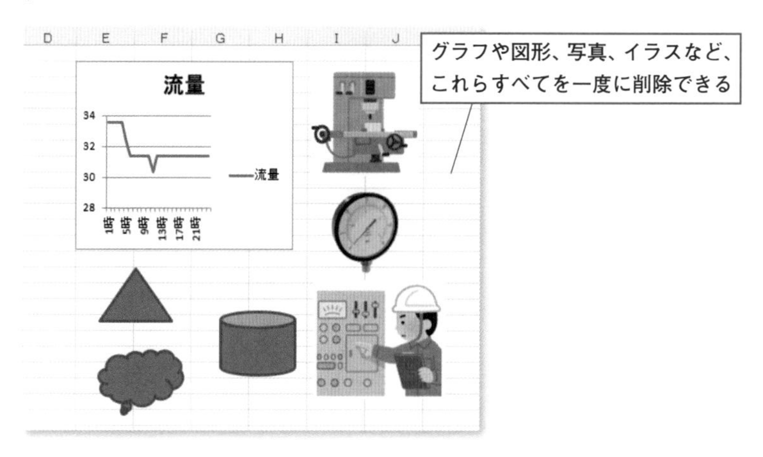

今回はこれで終了です。ここでファイルをいったん保存してください。ファイルを保存する際は、「ファイルの種類」を必ず［Excelマクロ有効Excelファイル(*.xlsm)］にて保存します（以降、ここまでの状態で保存したこのファイルを「Lesson6_5.xlsm」と称します）。

6-6 グラフの軸を自動調整する

本節のテーマは、グラフのスケール（軸の目盛り）の自動調整です。

Excelでグラフをよく作る人であれば、スケール調整に苦労した経験があるでしょう。グラフ作成の最後として、スケールの自動調整について学びましょう。

今回用いたサンプルデータのように、グラフの横軸が時間、縦軸がその値となっている場合、値の範囲は各グラフ（日にち）によって異なります。その大小により、Excelが「勝手に」設定する縦軸の目盛りの範囲（最大値と最少値）は、今回のように複数のグラフを表示する際には統一されたスケール（日盛り）になりません。それだと少々見栄えがよくありません。そこで、グラフのスケールを自動調整して統一できるようにしてみましょう。

それでは、前回作成したExcelファイル「Lesson6_5.xlsm」をご用意ください。

1 はじめに、作成したコードを確認してみましょう。

❶「Lesson6_5.xlsm」を開きます。黄色い帯のセキュリティ警告が表示されたら、右側の［コンテンツの有効化］ボタンを押してください。

❷ プログラムの画面を表示します。

［開発］タブの［コード］で［Visual Basic］をクリック→［標準モジュール］下の［Module1］をダブルクリックして「Macro1」を開きます。

```
Sub Macro1()
'
    k = 2
    For i = 1 To 7
        ActiveSheet.Shapes.AddChart.Select
        ActiveChart.ChartType = xlLine
        ActiveChart.SetSourceData Source:=Range("B1:C1,B" & k &
":C" & k + 23)
        ActiveSheet.ChartObjects(i).Top = Range("E" & k).Top
        ActiveSheet.ChartObjects(i).Left = Range("E" & k).Left
        ActiveSheet.ChartObjects(i).Width = ActiveSheet.
ChartObjects(i).Width * 0.5
        ActiveSheet.ChartObjects(i).Height = ActiveSheet.
ChartObjects(i).Height * 0.7
        k = k + 24
    Next i
    Range("A1").Select
End Sub
```

このコードは、複数のグラフを、表示位置を調節しながら自動的に作成するプログラムでしたね。今回は、これにスケール調整の処理を付け加えていきます。

2 今回も「マクロの記録」を使って、ちょっとしたコードを作成するところから始めます。

❶ Excelの画面に戻って、[Sheet3]を開いてください。

❷ 前回の最後に一括削除マクロを実行したので、このシート上にグラフは1つもない状態でしょう。なので、上記の Macro1（グラフ作成マクロ）を実行して、適当なグラフを作成しておいてください。

［開発］タブの［コード］で［マクロ］をクリック→「マクロ」画面が出る

ので、そのまま（Macro1が選ばれた状態で）［実行］をクリックします。

※なお、シート上にすでにグラフが1つ以上ある場合には、上記を実行する必要はありません。
ここは飛ばして次の❸へ進んでください。

❸ では、ここでマクロの記録を開始します。

［開発］タブの［コード］で［マクロの記録］をクリック →「マクロの記録」画面が出るので、そのまま［OK］をクリックします。

❹ 今あるグラフの縦軸スケールの設定を変更します。以下の手順を行ってください。

表示されているグラフ（どれでも可）の縦軸の数値（どれでも可）の上にマウスポインターを移動して右クリックします。

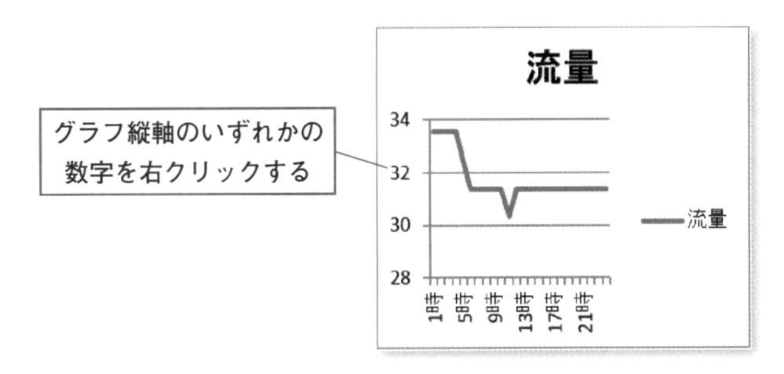

続いて、表示されたメニューの一番下の［軸の書式設定］をクリックします。

削除(D)
リセットしてスタイルに合わせる(A)
フォント(F)...
グラフの種類の変更(Y)...
データの選択(E)...
3-D 回転(R)...
補助目盛線の追加(N)
目盛線の書式設定(M)...
軸の書式設定(F)...

表示された「軸の書式設定」画面の一番上［軸のオプション］にある、最初の［最小値］の数値欄に（デフォルトで表示されている数字に上書きして）「11」と入力し、その次の［最大値］の数値欄に「55」と入力します。

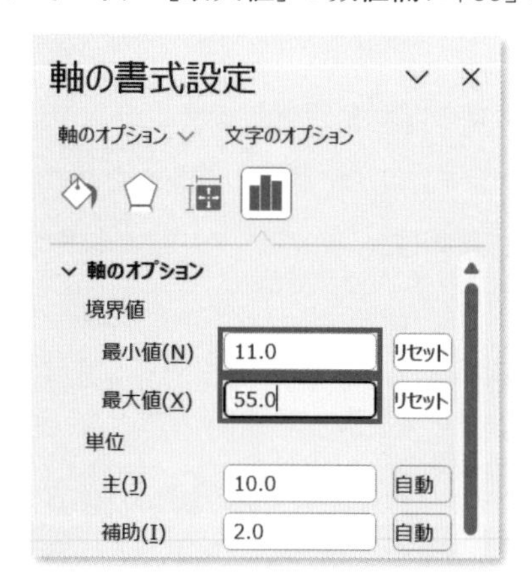

❺ 最後に、［開発］タブの［コード］で［■記録終了］をクリックして、マクロの記録を終了し、［軸の書式設定］画面の右上の「×」ボタンを押して、この設定画面を閉じます。

3 今記録して作ったコードの中身を見ていきましょう。

❶ プログラムの画面を表示します。

［開発］タブの［コード］で［Visual Basic］をクリックします。

❷ この画面の左上半分の［－標準モジュール］の一番下のModule2をダブルクリックします。

```
Sub Macro4()
'
    ActiveChart.Axes(xlValue).Select
    ActiveChart.Axes(xlValue).MinimumScale = 11
    ActiveChart.Axes(xlValue).MaximumScale = 55
End Sub
```

マクロの記録で少々複雑なグラフ設定の操作を記録したので、コードに上記以外の行が混ざっている場合もあるかと思います。上記とは少々違っていたとしても問題はありません。

重要なのは、今入力した（目印の）2つの数字「11」と「55」を記した、次の2行があることです。

```
ActiveChart.Axes(xlValue).MinimumScale = 11
ActiveChart.Axes(xlValue).MaximumScale = 55
```

上の行で指定している11がMinimum（最小値）で、下の行で指定している55がMaximum（最大値）です。見たとおりですね。

この2行をコピペして使えば、グラフ軸のスケール調整がマクロで簡単にできるのです。

4 それでは、上の2行を使って、コードをさらに書き換えます。

❶ まずは、上の2行をコピーしておいてください。

❷ コピーしたら、VBE画面の［－標準モジュール］下の最初の［Module1］をダブルクリックし、プログラム（Macro1）を表示してください。

❸ このMacro1のループ内の最後の行

```
k = k + 24
```

の上に、❶でコピーした2行をペーストします。

```
ActiveChart.Axes(xlValue).MinimumScale = 11
ActiveChart.Axes(xlValue).MaximumScale = 55
```

❹ ペーストしたら、この2行の右側の数値の部分（目印に付けた数字の11と55の部分）を、実際に表示したい最小値と最大値の数値である27と34

に、以下のように書き換えてください。

```
ActiveChart.Axes(xlValue).MinimumScale = 27
ActiveChart.Axes(xlValue).MaximumScale = 34
```

修正後のMacro1のコードは次のようになります。

```
Sub Macro1()
'
    k = 2
    For i = 1 To 7
        ActiveSheet.Shapes.AddChart.Select
        ActiveChart.ChartType = xlLine
        ActiveChart.SetSourceData Source:=Range("B1:C1,B" & k &
":C" & k + 23)
        ActiveSheet.ChartObjects(i).Top = Range("E" & k).Top
        ActiveSheet.ChartObjects(i).Left = Range("E" & k).Left
        ActiveSheet.ChartObjects(i).Width = ActiveSheet.
ChartObjects(i).Width * 0.5
        ActiveSheet.ChartObjects(i).Height = ActiveSheet.
ChartObjects(i).Height * 0.7
        ActiveChart.Axes(xlValue).MinimumScale = 27
        ActiveChart.Axes(xlValue).MaximumScale = 34
        k = k + 24
    Next i
    Range("A1").Select
End Sub
```

5 確認のため実行してみましょう。

❶ Excelの画面に戻って、[Sheet3]を開きます。

❷ まず、今あるグラフを前回に作っておいたグラフ一括削除のマクロ(Macro2)を実行して一端すべて削除してください。

［開発］タブの［コード］で［マクロ］をクリック→「マクロ」画面が出るので、マクロ名に「Macro2」を選んでから［実行］をクリックします。

❸ それでは、先ほど修正したMacro1を実行します。

［開発］タブの［コード］で［マクロ］をクリック→「マクロ」画面が出るので、そのまま（Macro1が選ばれた状態で）［実行］をクリックします。

いかがでしょうか？ 表示された7つのグラフの縦軸が、同一のスケールで作成されていればOKです。下方までスクロールして確認してください。

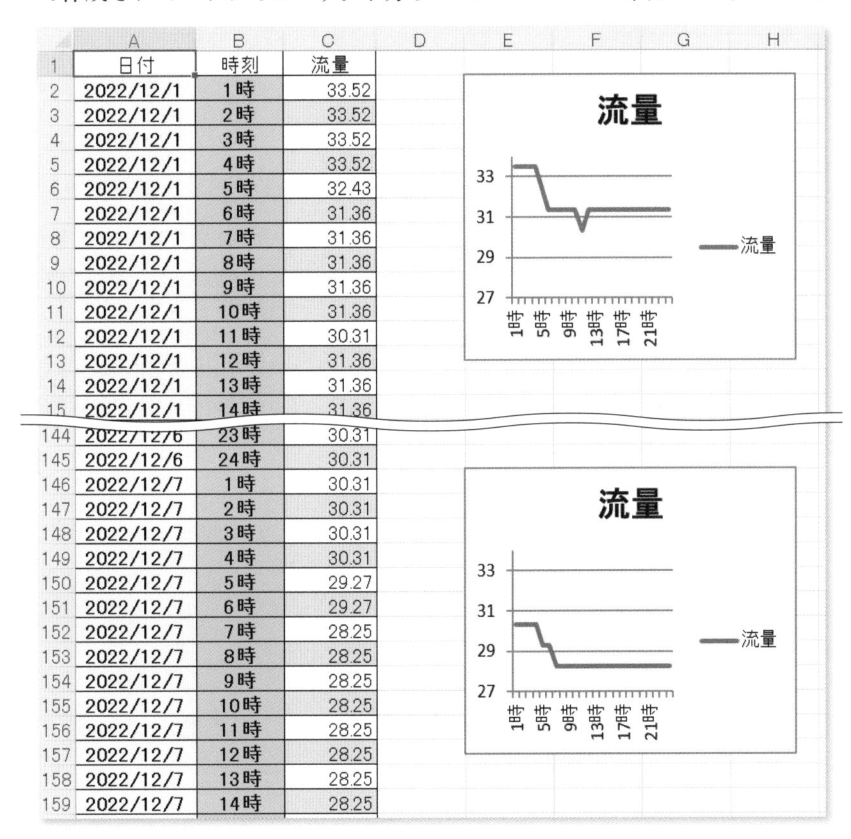

	A	B	C
1	日付	時刻	流量
2	2022/12/1	1時	33.52
3	2022/12/1	2時	33.52
4	2022/12/1	3時	33.52
5	2022/12/1	4時	33.52
6	2022/12/1	5時	32.43
7	2022/12/1	6時	31.36
8	2022/12/1	7時	31.36
9	2022/12/1	8時	31.36
10	2022/12/1	9時	31.36
11	2022/12/1	10時	31.36
12	2022/12/1	11時	30.31
13	2022/12/1	12時	31.36
14	2022/12/1	13時	31.36
15	2022/12/1	14時	31.36
144	2022/12/6	23時	30.31
145	2022/12/6	24時	30.31
146	2022/12/7	1時	30.31
147	2022/12/7	2時	30.31
148	2022/12/7	3時	30.31
149	2022/12/7	4時	30.31
150	2022/12/7	5時	29.27
151	2022/12/7	6時	29.27
152	2022/12/7	7時	28.25
153	2022/12/7	8時	28.25
154	2022/12/7	9時	28.25
155	2022/12/7	10時	28.25
156	2022/12/7	11時	28.25
157	2022/12/7	12時	28.25
158	2022/12/7	13時	28.25
159	2022/12/7	14時	28.25

この例では、縦軸と横軸が固定になります。毎回数値の範囲が変わるデータで、グラフのスケールも可変にしたい場合には、グラフ化する対象の全データの中から（今回のサンプルデータの場合だとC列になります）、最大値と最小値を探し出す必要があります。

それには、Excelのワークシート関数の =MIN(C2:C169) と =MAX(C2:C169) を、シートのどこかのセルに組み込んでおいて、そこから取ってきた値をこの2行の右側の数字に置き換えればよいわけです。

これについても全部マクロで（ワークシート関数を使わずに）やるのであれば、上記の関数をマクロで使える構文に直した以下を使います。

```
Application.Min(Range("C2:C169"))
Application.Max(Range("C2:C169"))
```

この計算を先に実行します（ループの前にあらかじめ入れておきます）。ただし、この場合は小数点が出てしまう可能性が高いので、次のようにして、

```
Int(Application.Min(Range("C2:C169")))
Int(Application.Max(Range("C2:C169")))
```

Int関数を使って小数点以下を切捨てたうえで、さらに、

```
Int(Application.Min(Range("C2:C169")))
Int(Application.Max(Range("C2:C169"))) + 1
```

として、最大値の方には + 1 を足して上にはみ出て切れてしまうのを防ぐ必要があります（Int関数は切り捨てなので最小値の方は - 1 しなくてもデータが切れることはありません）。

上記を用いてスケール幅を可変に自動調整するように応用した例を以下に示します。

```
Sub Macro1()
'
    iMin = Int(Application.Min(Range("C2:C169")))
    iMax = Int(Application.Max(Range("C2:C169"))) + 1

    k = 2
    For i = 1 To 7
        ActiveSheet.Shapes.AddChart.Select
        ActiveChart.ChartType = xlLine
        ActiveChart.SetSourceData Source:=Range("B1:C1,B" & k &
":C" & k + 23)
        ActiveSheet.ChartObjects(i).Top = Range("E" & k).Top
        ActiveSheet.ChartObjects(i).Left = Range("E" & k).Left
        ActiveSheet.ChartObjects(i).Width = ActiveSheet.
ChartObjects(i).Width * 0.5
        ActiveSheet.ChartObjects(i).Height = ActiveSheet.
ChartObjects(i).Height * 0.7
        ActiveChart.Axes(xlValue).MinimumScale = iMin
        ActiveChart.Axes(xlValue).MaximumScale = iMax
        k = k + 24
    Next i
    Range("A1").Select
End Sub
```

さらに、上記コードの最初の2行に、最後のデータ行を取得する構文を加えて書き換えてみます。

```
Sub Macro1()
'
    n = Cells(Rows.Count, "B").End(xlUp).Row
    iMin = Int(Application.Min(Range("C2:C" & n)))
    iMax = Int(Application.Max(Range("C2:C" & n))) + 1

    k = 2
   （以下省略）
```

補足になりますが、縦長でなく横長のデータをグラフ化する場合にはどうすればよいのでしょうか。たとえば、次のようなデータをグラフ化する場合です。

横長データの例

	A	B	C	D	E	F	G	H	I
1	日付	2022/12/1	2022/12/1	2022/12/1	2022/12/1	2022/12/1	2022/12/1	2022/12/1	2022/12/1
2	時刻	1時	2時	3時	4時	5時	6時	7時	8時
3	流量	33.52	33.52	33.52	33.52	32.43	31.36	31.36	31.36
4									

Excelなどの表計算ソフトは、縦長には強いけれど横長には弱い傾向にあります。行と列の制限数の違い（1,048,576行、16,384列）を見ればこれは明白です。

そのため、縦長のデータを処理するマクロのコードを横長用のコードに修正するのは、難しい修正になります。その場合には、以下で説明する「データをいったん横から縦へ変換して処理する」方法が、手っ取り早く、簡単だと思います。

データを縦横変換するには、まず元の横長のデータ範囲をコピーして、貼り付けオプションの「行列を入れ替える」をチェックし、ダミーのシートに貼り付けます。これにより、縦長データ用に作った今回のようなマクロが、横縦変換したデータのあるダミーのシート上でそのまま（コード修正なしで）使えます。

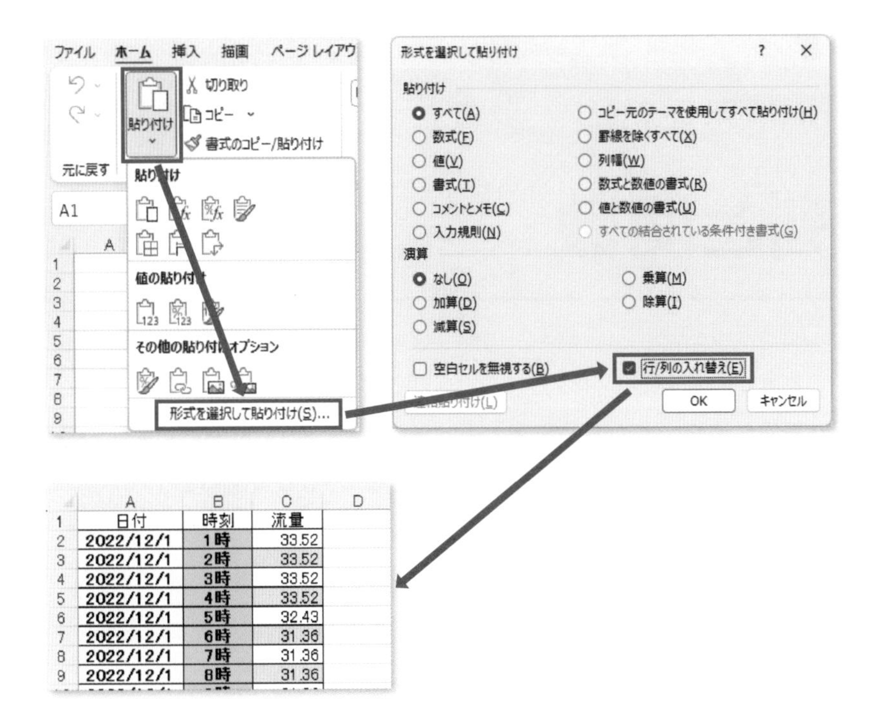
ファイル
ホーム
挿入
描画
ページ レイアウ
貼り付け
切り取り
コピー
書式のコピー/貼り付け
元に戻す
A1
貼り付け
値の貼り付け
その他の貼り付けオプション
形式を選択して貼り付け(S)...
形式を選択して貼り付け
貼り付け
すべて(A)
数式(F)
値(V)
書式(T)
コメントとメモ(C)
入力規則(N)
コピー元のテーマを使用してすべて貼り付け(H)
罫線を除くすべて(X)
列幅(W)
数式と数値の書式(R)
値と数値の書式(U)
すべての結合されている条件付き書式(G)
演算
なし(O)
加算(D)
減算(S)
乗算(M)
除算(I)
空白セルを無視する(B)
行/列の入れ替え(E)
リンク貼り付け(L)
OK
キャンセル
日付
時刻
流量
2022/12/1
1時
33.52
2022/12/1
2時
33.52
2022/12/1
3時
33.52
2022/12/1
4時
33.52
2022/12/1
5時
32.43
2022/12/1
6時
31.36
2022/12/1
7時
31.36
2022/12/1
8時
31.36

配列と関数

本章では、一般のプログラミング言語とは少々扱い方の違う Excel VBA の機能（仕様）である「配列」と「関数」について解説します。Excel VBA の特異性をつかんで、効率よく使えるようになりましょう。

まずは、本章で利用するサンプルプログラムの入ったExcelファイルを本書のWebページからダウンロードしてください（付録ページを参照）。

■ 本章で紹介するサンプルプログラム入りのファイル「Lesson7.xlsm」

7-1 配列

通常のプログラミング言語の教科書では、「配列」は必修事項の一つとして前半に登場することが多いかと思います。

しかしながら、筆者は（エンジニアではない）事務系の方々にExcel VBAを教える際に、配列に関しては原則触れないようにしています（あえて教えません）。なぜなら、マクロ言語では、配列の変数を使用する必要がほとんどないからです（その詳細については本章のコラムを参照ください）。

ただし、FORTRANなどに慣れ親しんでいるエンジニアの中には、「配列が好き」（とにかくデータは配列の変数に入れてから処理するのに慣れている……）という人も多いかもしれません。なので、以下にVBAでの配列の書き方について、セルと配列のあいだでデータを出し入れするコードなどを例に、基本事項を簡潔に説明します。

サンプル1：配列を使用する簡単なコード例（その1）

```
Sub Macro1()
'
    Dim a() As Variant     '省略可
    a = Range("A1:C5").Value
    Range("D6:F10").Value = a
 End Sub
```

このコードでは、セル指定範囲（上記の例ではA1～C5）のデータを配列aに格納し、他の同数の行列指定範囲の各セルにその値をそのまま書き出します。配列変数のaのa(1, 1)にA1、a(2, 1)にA2、・・・、a(5, 3)にC5の各値が格納されるわけです。

サンプル2：配列を使用する簡単なコード例（その2）

```
Sub Macro2()
    Dim a(10, 3) As Double
    For j = 1 To 3
        For i = 1 To 10
            a(i, j) = Cells(i, j).Value
            Debug.Print i, j, a(i, j)
        Next i
    Next j
    Sheets.Add After:=ActiveSheet
    For j = 1 To 3
        For i = 1 To 10
            Cells(i, j).Value = a(i, j) + 99.9
        Next i
    Next j
End Sub
```

このコードは、セル範囲（10行3列）を配列に取り込み、そのデータに何らかの数値計算を施した結果（上記の例では99.9を足す）を新しいシートにそのまま書き出すという「セルと配列」間の読み書きの例です。ちょっとややこしいので、以下で詳しく説明しましょう。

❶ Dimの意味

最初のDimは、元々はFORTRANのdimensionから派生したもので、配列を作る際の領域確保を意味する宣言文です。しかし、VBAでは、配列以外にも（単一の値を格納するためのスカラー変数の定義としても）よく使われます。

ちなみにVBAは、他のマクロ言語やFORTRAN、Basic、Pythonなどの言語と同様、単一の変数名は宣言する必要のない（強制されない）言語です。

❷ 初期化は不要

VBAで配列を作る際は、初期化は基本不要です（未使用時にゴミは入っていないものと考えてください）。あらかじめ初期値を設定したい場合や初期化しないと気持ちが落ち着かない方はその限りではありません。他の言語に移植することをあらかじめ考慮して作るのであればなおさらです。

❸ 配列の添字は0から始まる

FORTRANやBasicでは配列の添字は1から始まりますが、VBAの場合はC言語などと同様に（アドレス参照の優位性から）添字は0から始まります。

なので、次の例のように、a(5)で宣言すると計6個の配列をもつ変数になります。

例 `Dim a(5) → a(0), a(1), a(2), a(3), a(4), a(5)`の計6つ

もし添字を人間に分かりやすくa(1)から使いたいのであれば、最初のa(0)は無視してa(1)から使えばいいのです。それを明示的に書くのであれば、次のように書けます。

例 `Dim a(1 To 5)`

例 `Dim a(1 To 5, 1 To 100)`

❹ 添字の順番

添字で重要なのは、2次元以上の多次元配列を作る場合に、FORTRANなどで一般的に使用される配列の添字の順序との違いに注意する必要がある点です。FORTRANでは列優先ですが、VBAでは行×列の順序で作ることが好ましいです。VBAで配列を使用する場合、以下のようになります。

1次元配列:：1列（または1行）

2次元配列:：行×列

3次元配列:：行×列×シート

VBAでは、Excelでのデータの配置構成での一般的な順序に合わせて、コードの（Cellsなどでの）カッコ内の順番が「行、列」になっています。この順序に配列も合わせることで分かりやすく、そして、なるべく間違いを防げるようにします。

❺ 動的配列

上記のコードの配列は、要素数が固定されている場合に使います。これを静的配列と呼びます。しかし、特にエンジニアが技術データの処理をする場合には、データの数が実行後に決まるケースや、ループ内でそのつど配列の初期化が必要なケースがあると思います。そこでは、動的配列（動的再配置）の宣言文である「ReDim」が使用できます。

ただし、近年はパソコンの性能が著しく向上し、昔のようにメモリー容量が足りないことによるエラーは発生しにくくなりました。そのため最初から余裕をもった最大数で領域を確保した静的配列を使用するほうが、より分かりやすいコードを書けます。したがって、動的配列はなるべく避けることをお勧めします。

❻ 配列を使わない例

サンプル3:「マクロの記録」で記録した並べ替えのコード例

```
Sub Macro3()
'
    Cells.Select
    ActiveWorkbook.Worksheets("Sheet1").Sort.SortFields.Clear
    ActiveWorkbook.Worksheets("Sheet1").Sort.SortFields.Add2 
Key:=Range("A1:A999" _
        ), SortOn:=xlSortOnValues, Order:=xlDescending, 
DataOption:=xlSortNormal
    With ActiveWorkbook.Worksheets("Sheet1").Sort
        .SetRange Range("A1:D999")
        .Header = xlNo
        .MatchCase = False
        .Orientation = xlTopToBottom
        .SortMethod = xlPinYin
        .Apply
    End With
End Sub
```

配列を使わない場合の例を見てみましょう。

上記の「マクロの記録」で記録した並べ替えコードには、手直しが必要な項目が2つあります。

- シート名部分の"Sheet1"(上記コード内では3カ所あります)
- Range() で指定されたセル範囲の末尾にある 999(同2カ所あります)

これらの固定値を可変(変数値)に変更することで、シートのデータを配列に入れる手間をかけずに、またデータ数を気にすることなく、全シートに同じソート処理を適用できます。その修正例が次のサンプル4です。

サンプル4：全シートを並べ替えるコード例

```
Sub Macro4()
'
    For i = 1 To Sheets.Count
        n = Cells(Rows.Count, "A").End(xlUp).Row
        Cells.Select
        ActiveWorkbook.Worksheets(i).Sort.SortFields.Clear
        ActiveWorkbook.Worksheets(i).Sort.SortFields.Add2
Key:=Range("A1:A" & n _
            ), SortOn:=xlSortOnValues, Order:=xlDescending,
DataOption:=xlSortNormal
        With ActiveWorkbook.Worksheets(i).Sort
            .SetRange Range("A1:D" & n)
            .Header = xlNo
            .MatchCase = False
            .Orientation = xlTopToBottom
            .SortMethod = xlPinYin
            .Apply
        End With
    Next i
End Sub
```

このような修正のみで、たとえばシートの数が増減しても、またデータ数がシートごとに異なっていても、手動でコードを修正しなくてすむようになり、コードの保守性が高まります。

7-2 関数

VBAで使用できる「関数」には、以下の3種類があります。

- ワークシート関数：通常のExcelの関数（例：SUM関数など）を指します。セルに関数として入力することで使用できます。
- 標準関数：一般的なプログラミング言語で用意されている組み込み関数（例：ABS関数、ROUND関数など）を指します。VBA関数とも呼ばれます。
- ユーザー定義関数：自分で作成する関数です。SubやFunctionで定義できます。

ワークシート関数をVBAで利用する方法

```
Application.Max(Range("C1").Resize(5, 2))
                                    'C1から5行2列の最大値を返す
Application.Min(Range("C1").Resize(5, 2))         '同、最小値を返す
Application.Sum(Range("A1:B7"))         'A1からB2までの合計値を返す
```

この例文では、Max、Min、Sumといったワークシート関数を使ったコードを紹介しています。各関数の戻り値をVBAで取得できます。また、AVERAGEやCOUNTといった定番の関数だけでなく、Vlookupなどの上級者が使うような関数もVBAで利用できます。

ただし、通常はVBAでこれらのワークシート関数を使用することはお勧めしません。IF関数やCOUNTIF関数を使用するより（VBAの）IF文で記述したほうが、読みやすく明瞭な記述になる場合が多いからです。必要な処理の複雑さを考慮し、あくまでもケースバイケースで使用することが重要です。

主によく使う標準関数

以下では、VBAでよく使う標準関数（組み込み関数）を、文字列変換、日付関連、数値計算に分けて各10個ずつ挙げます。

【文字列変換】の関数 10選

Val　文字列の先頭にある数字を数値に変換する

CStr　指定した値を文字列型 (String) に変換する

Replace　文字列の指定文字を置換する

例 Replace("090-1234-5678", "-", "")　→　"09012345678"

Trim　文字列の前後の空白ゴミ(全半角とも)を取り除く

StrConv　文字列を大文字/小文字/全角/半角に統一する

例 StrConv("abcD", vbUpperCase)　→ "ABCD"　小文字を大文字に

Mid　文字列の指定位置から指定文字数を取り出す

reft　文字列の左（先頭）から指定文字数を取り出す

Right　文字列の右（後方）から指定文字数を取り出す

Format　指定した書式に変換する

Len　文字列の長さ（文字数）を調べる（バイト数はLenB）

【日付関連】の関数 10選

Weekday　指定した日付の曜日を数値で返す

Year　指定した日付の年を返す

Month　指定した日付の月を返す

Day　指定した日付の日を返す

Hour　指定した時刻の時を返す

Second　指定した時刻の秒を返す

Minute　指定した時刻の分を返す

IsDate　指定した値を日付型 (Date) に変換できるかを判定する

Now　　　現在の日時(PC時刻)を返す

DateDiff 2つの日付の期間(差分)を求める

例 DateDiff("D", Date1, Date2)　"Y"期間の年数、"M"月数、"D"日数など

【数値計算】の関数 10選

Int　　　実数の小数点以下を切り捨てる

(四捨五入や切り上げする関数はない)

四捨五入時　例 Int(k + 0.5)

Fix　　　単純切り捨て　例 Int(-1.5) = -2、Fix(-1.5) = -1

Sqr　　　平方根

Sin　　　正弦

Cos　　　余弦

Tan　　　正接

Atn　　　逆三角関数

Abs　　　絶対値

^　　　　べき乗(演算子)　例 r = x ^ y　(xのy乗)

Mod　　　剰余(演算子)　例 z = x Mod y　(x ÷ y の余り)

なお、各関数の詳細はヘルプにてご確認ください(ヘルプを見る場合は、VBE画面で関数名を選択状態に(反転表示)して、F1キーを押します)。

ユーザー定義関数(SubとFunction)

VBAのユーザー定義関数には、SubとFunctionの2つがあります。違いは、戻り値がないかあるかの違いです。Subには戻り値がなく、Functionには戻り値があります。なお、いわゆるmainの関数はVBAにはありません。マクロの実行時には、ここまで何度も行ってきたように、リストからSubを選ぶだけです。

【スコープ】

スコープとは、変数の使える範囲（変数の適用範囲）です。知っておいてほしいのは、ユーザー定義関数にも適用範囲が設けられていることです。通常では各マクロのコード先頭部「Sub マクロ名 ()」の前に、Privateまたは Publicを付加することによって、スコープを定義できます。なお、以下の説明はSubとFunctionとも共通です。

- Private Sub：同じModule内からのみ呼び出せる関数です。
- Public Sub：すべての関数から呼び出せる関数です。
- Sub：同上（省略時はPublic Subと同じ）

Public SubとSubで特に引数が無いものは、main関数として実行のできる（つまり、実行画面でリストに表示される）関数です。

【引数】

VBAの引数には、以下の「参照渡し」と「値渡し」の2種類があります。

- 参照渡し（ByRef）：関数内での値変更を呼び出し元にも反映します。
- 値渡し（ByVal）：値変更を呼び出し元には反映しません（一方通行）。

これらの指定は受け取り側の仮引数の前に書きますが、省略することもできます。省略時のデフォルトは「参照渡し（ByRef）」です。

例
```
Call ZCalc(yy, zz)                '呼び出し元
Sub ZCalc(ByRef yy, ByVal zz)     '受け取り側の関数で仮引数の前で指定
```

COLUMN マクロ言語に配列は不要です

VBAをはじめとするマクロの言語には原則として、配列は不要な場合が多いといえます。その理由を、ご説明します。

Excel VBAの「Visual Basic for Applications」のApplicationとは、当然Excelを指します。誤解されやすいのが、Applicationの前にあるforです。forの意味を「Application上で動く言語だから」と誤解されている人も多いかと思います。そうではなく、「Application上にあるデータにアクセスしやすい言語である」を意味します。つまり、「Excelのデータをいじりやすい言語だよ！」ということです（これが、VBとVBAの違いでもあります）。

Excelのシートは2次元配列そのものです。それをわざわざプログラムの配列「Dim a(10, 10) As Double」などと宣言し、変数に押し込んで処理するのは非効率だと考えます。ソートや検索などはシート上で実行するほうが圧倒的に高速ですし、かつ、複雑な多重ループ構造となるコードをわざわざ組む手間も必要ありません。

なのでVBAでの変数は、配列では使わず、ループを回す際のカウンターやデータ交換時の仮置き場といった「限られた使い方」にしておいたほうが効率がよいのです。

ということで、主なデータはApplication上にあるという特徴を持つマクロ言語の場合、可能な限りデータを配列変数には入れずに（Excel VBAならExcelのシートに置いたままで）マクロを組むことをお勧めします。

第8章 デバッグと高速化

本章では、マクロで自動化に取り組む際に大切な「デバッグ」と「高速化」の方法を説明します。

まずは、本章で利用するサンプルプログラムの入ったExcelファイルを本書のWebページからダウンロードしてください(付録ページを参照)。

■本章で使うサンプルプログラム入りのファイル「Lesson8.xlsm」

8-1 デバッグの基本

本節では、マクロでエラーが出てしまったとき、より効果的に対処する方法を身に付けていただくために、VBAでの基本的なデバッグ方法を紹介します。最初に、エラーの例を見てください。

エラー表示の文言と画像の例

9	インデックスが有効な範囲にありません。
13	型が一致しません。
424	オブジェクトが必要です。
438	オブジェクトは、このプロパティまたはメソッドをサポートしていません。
1004	参照が正しくありません。

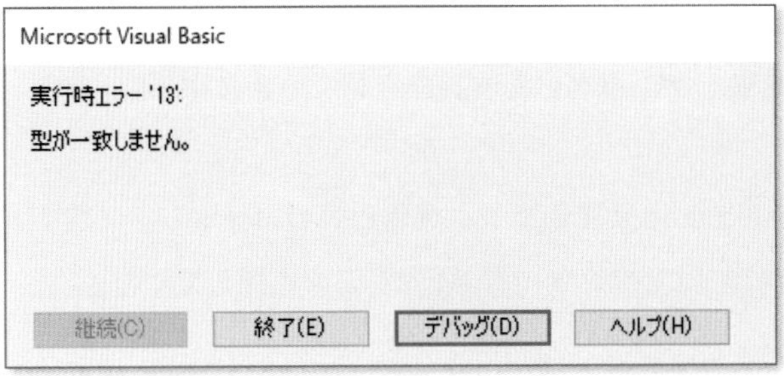

Microsoft Visual Basic

実行時エラー '13':

型が一致しません。

継続(C)　終了(E)　デバッグ(D)　ヘルプ(H)

マクロを実行して、こうした画面が表示され、処理が中断した場合を考えてみましょう。この画面で選択可能な3つのボタン「終了」「デバッグ」「ヘルプ」のうち、あなたならどれを選択しますか？

1つずつ見ていきましょう。

まず、「ヘルプ」のボタンをクリックして表示される内容は、残念ながら、エラー解消にはあまり役立ちません。無駄に時間を費やしてしまう場合が大半だと思います。

また、「終了」のボタンをクリックすると、エラーで一時中断している状態がそのまま終了するだけで、何も起こりません。なので、これもデバッグという点では、ほとんど役に立ちません。

そのため、「デバッグ」のボタン（デフォルトであらかじめ選択されています）をクリックする以外の選択肢はほぼないといえます。「デバッグ」ボタンをクリックすることが、何らかのエラー画面が表示されたときの一般的な操作方法だと理解してください。

続いて、デバッグする手順を具体的に学びましょう。先にダウンロードしたデバッグテスト用のデータとマクロプログラムの入ったファイル「Lesson8.xlsm」をご用意ください。

❶ 基本動作

手順ごとに、デバッグの基本動作を見ていきます。

❶「Lesson8.xlsm」を開きます。黄色い帯のセキュリティ警告が表示されたら、右側の［コンテンツの有効化］ボタンを押してください。

❷ ファイルに含まれているデータを、次のようにして、エラーが発生するデータに変更します。

B列に入力されている数字（500）のどこか1カ所を、適当な文字に変更して（たとえば、図のようにabcに変更して）、Enterキーを押します。

	A	B	C	D	E
1	2000	500			
2	1900	500			
3	1800	abc			
4	1700	500			
5	1600	500			
6	1500	500			
7	1400	500			
8	1300	500			

B列に入っている数字の
500のどれかを文字に変える

❸ マクロを実行してみましょう。

[開発]タブの[コード]で[マクロ]をクリック→「マクロ」画面が出るので、そのまま[実行]をクリックします。

❹ 表示されたエラー画面で、先ほど説明した[デバッグ]のボタンをクリックします。

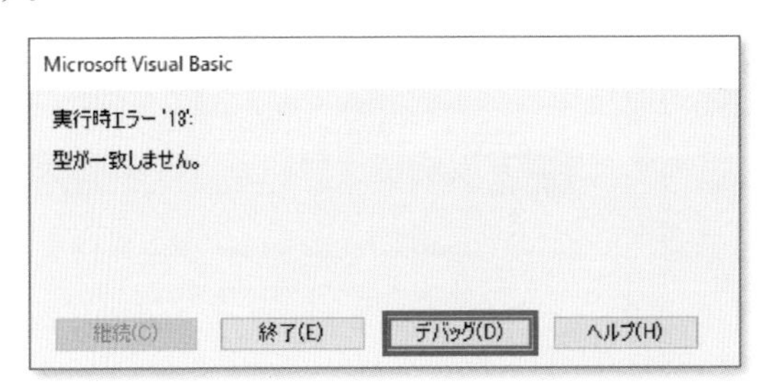

すると、VBE画面が立ち上がり、その1行が黄色で表示されます。これがエラーを起こした行です。

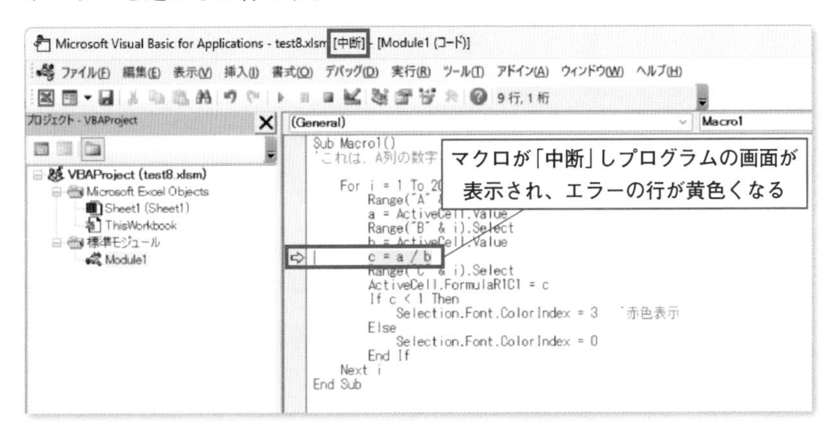

ただし、この黄色に表示された行がエラーの直接の原因とは限りません。ほとんどの場合、その行より前の処理に問題があったと考えるのが正解です。

❺ それでは、デバッグの操作を続けます。

変数の上にマウスポインターを持っていくと、その変数の値を確認できます。

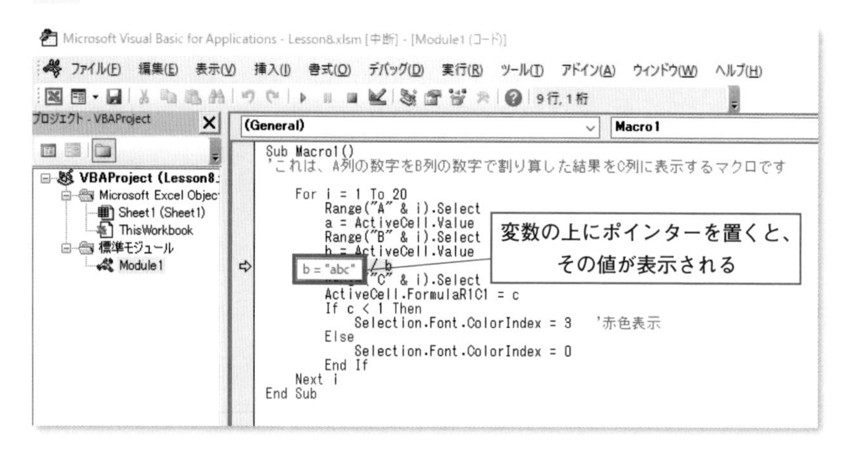

上の例では、変数bの値が数字ではなく文字（abc）であることが分かります。そのため、黄色い行での計算が「c ＝ 数字 ÷ 文字」となり、エラーが起きているわけです。

同じ方法で、「i = 3」であることも分かります。i = 3なので、3行目B列のデータがおかしいわけです。このようにして、データ内の「まちがった個所」をすばやく特定できました。

特に注意すべきは、「変数名 ＝ Empty値」となっている個所です。これは、その変数に「値が何も入っていない（Empty）」という意味で、VBAで頻繁にエラーを起こす原因となります。

以上が、VBAで実行エラーが出た際の第一の対処法（基本中の基本）です。これを知ってると知らないとでは（デバッグにかかる手間が）大違いなので、しっかり覚えておきましょう。

❻ デバッグが終わったら次の操作で中断モードを解除します。

画面の上方にある■マーク（[リセット] ボタン）をクリックします。これで実行前の状態に戻って黄色のマーカーが消え、コードの修正や実行（▶ボタンを押す）ができるようになります。

あとは、先ほど突き止めた間違った個所（例では、3行目 B列のデータ）を修正すればよいのです。

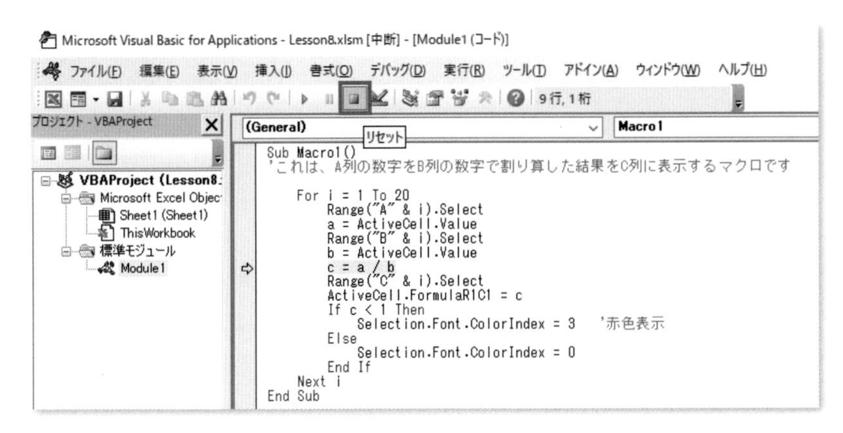

❷ ブレークポイント

本項では、特にエラーは出ないけど計算結果がおかしい場合などに用いるデバッグ方法を紹介します。

コード中の動作をいったん止めたい場所（その時点の変数の中身を確かめたいところ）で強制的に処理をいったん止める個所のことを「ブレークポイント」と呼びます。その使い方を紹介します。

❶ 止めたい行のコードの左側の欄外（グレーゾーン）をクリックして、ここに茶色の●印を表示します。

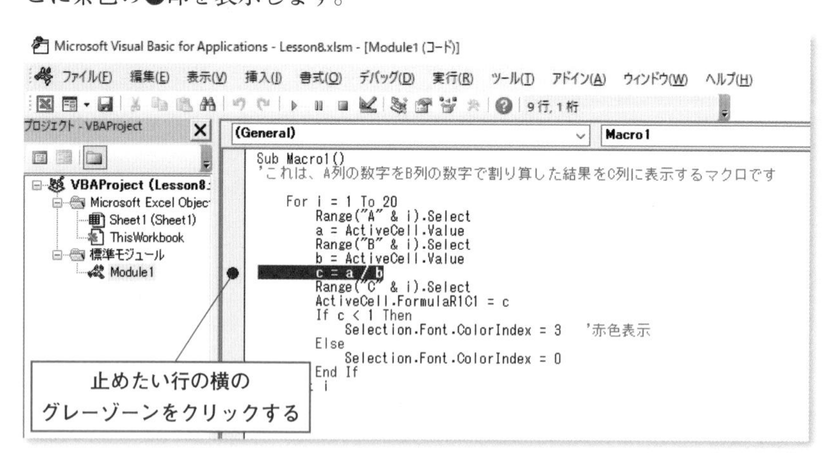

この状態（ブレークポイントを設定した状態）でマクロを実行すると、●印の行で処理が中断されます。このとき、前節と同様に変数の上にマウスポインターを置くと、その変数の値を確認できます。また、ここで（中断した状態で）「F8キー」を1回押すごとに、その次の行まで処理を進めることができます。

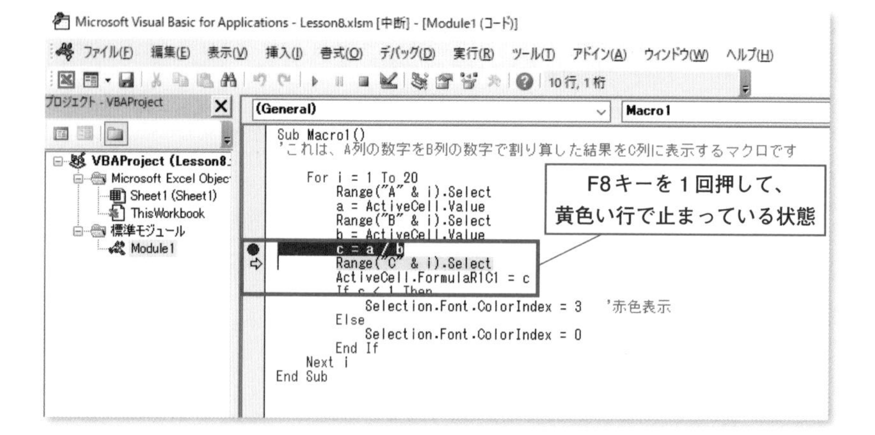

❸ エラー・トラップ

続くデバッグ方法として、「エラー・トラップ」を説明します。

VBAには、最近のプログラミング言語にはよくある「例外処理」という概念はありません。なので、例外を知るには、プログラマー自身がそれを検知するコードを書くしかないわけです。そのために必要となるのが、ここで説明する「エラー・トラップ」です。

構文 On Error Resume Next

この一文は、何らかの実行エラーが発生したときに、処理を止めないで（エラーが起きた行は無視して、つまり処理しないで飛ばして）先へ進める命令文です。これをコードの冒頭に入れる、もしくは、エラーが出そうな行の手前に入れるなどして、使います。

以下の例文を見てください。

例文 エラーが出そうな行の手前に入れる場合

```
On Error Resume Next       'エラー・トラップの構文
Err.Clear                  '以前のエラーはあらかじめクリアにしておく
c = a / b                  '←エラーが出やすいと思われる行
If Err.Number <> 0 Then    'Err.Number=0がエラーなし。それ以外はエラー
    'エラー処理
End If
On Error GoTo 0            'エラー・トラップを解除する
```

このように、エラーが発生したか否かは、Err.Numberにて判断します。Err.Numberは、エラー発生時は戻り値が「0以外」になります。

このエラー処理の例としては、GoToやExit Subなどを用いて次のように例外処理や強制終了を行うのが一般的です。なお、Err.Descriptionで通常のエラー時に画面表示されるメッセージも取得できます。

例文 例外処理で強制終了する場合

```
'エラー処理
MsgBox "エラー発生!!!  Number = " & Err.Number & "  [" & Err.
Description & "] "
GoTo 例外ケース01  'または、Exit Sub
 ・
 ・
例外ケース01:
    '……
    MsgBox "致命的エラーで処理終了！ i = " & i
End Sub
```

❹ イミディエイト ウィンドウ

「イミディエイト ウィンドウ」を使うと、メッセージや変数の値をコード画面の下部に表示できます。すぐに解決できるデバッグであれば、先ほど紹介した方法（実行時の値を表示する）で事足りますが、少々複雑で数値を追っていく必要のある場合には、ここで紹介する「イミディエイト ウィンドウ」を使うのが一般的で便利です。

基本構文 `Debug.Print a, b, c`

❶ 実際に使ってみましょう。

まずは、画面のメニュー操作にて、コード下部に新たなウィンドウを表示します。[表示]→[イミディエイト ウィンドウ]を指定します。

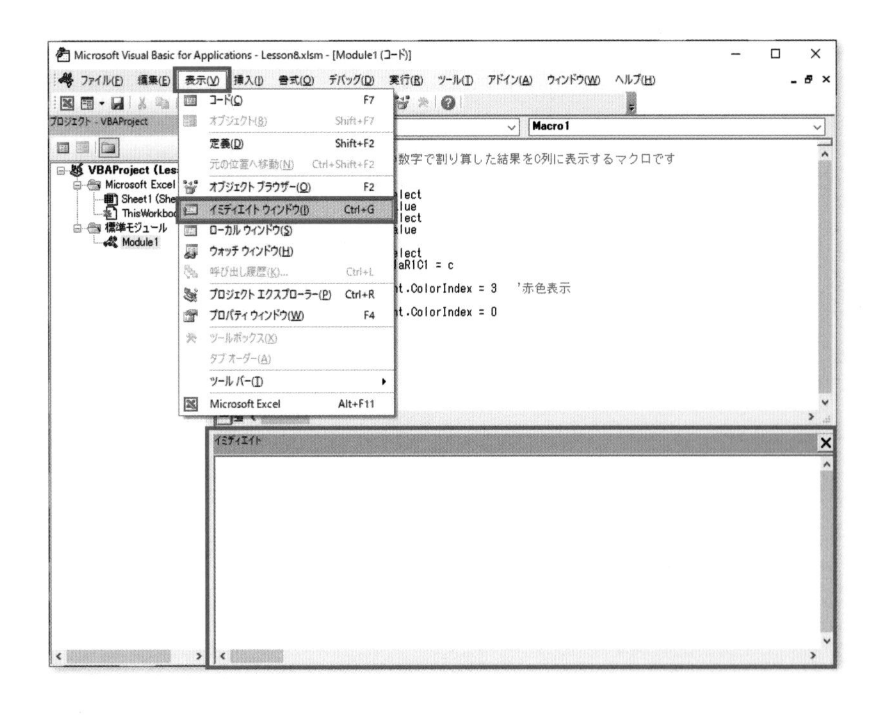

❷ 次に、コード内の必要な個所（c = a / bの下）に次の基本構文を書き加えます。

```
c = a / b
Debug.Print i, a, b, c
```

❸ それでは、実行してみましょう。

Macro1内のどこかにマウスポインターがある状態で、メニューの実行（▶ボタン）を押します。すると、右下のイミディエイトウィンドウに次のように表示されます。これにより、変数内の数値を連続して追うかたちでのデバッグが可能です。

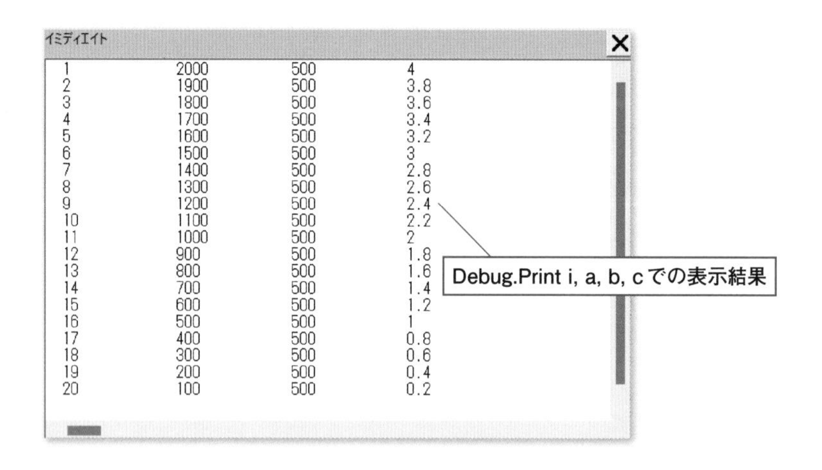

イミディエイトウィンドウに関する補足

イミディエイトウィンドウには次の制限などがあります。使う前に、ざっと目を通しておきましょう。

【制限事項】

このウィンドウに表示できるのは199行まで（それ以上になると上方から順次消えていく）という制限があります。

【削除方法】

表示中のデータを全クリアするには、このウィンドウ内にマウスポインターを置いてから、Ctrl+Aで全選択してDeleteキーを押します。

【非表示方法】

このウィンドウ自体を非表示にするには、ウィンドウ右上の［×］を押します。

8-2 高速化の手法

本節では、VBAの高速化で有効なテクニックをいくつか紹介します。VBAは、とかく処理速度が遅いと指摘されがちな言語ですが、これらのテクニックを知って高速化に取り組めば、大幅に改善できる場合があります。

以下では高速化テクニックを、サンプルコードおよび著者のパソコンでのベンチマークテストとともに紹介していきます。

❶ 画面更新の非表示

すでにご存じのとおり、コンピュータシステムは、「入力・処理・出力」という3つの要素から成り立っています。入出力、とりわけ出力が、プログラムの処理速度のボトルネックになりがちです。

VBAの場合、入出力の多くは「Excelのシート」になります。なので、他のコンピュータシステム同様、Excelシートへの入出力（とりわけ出力）の処理が、処理速度を左右する要因となります。

出力に関して、最もよく知られているのが、次にあげる「画面更新の非表示」です。これはVBAの高速化では最も有効、かつ、コメント一つで（画面更新の）表示/非表示を切り替えられる、という意味で、断トツにおススメする高速化の手法です。マイクロソフトの説明では、「マクロの速度を向上させるため、画面を更新しないようにします。 この場合、マクロの処理過程は見ることができませんが、実行速度が速くなります。」と説明されています（出典：https://learn.microsoft.com/ja-jp/office/vba/api/excel.application.screenupdating）。

具体的に見ていきましょう。

構文
```
Application.ScreenUpdating = False
```

画面の更新が無効（非表示）の場合はFalse、有効（表示）の場合は True になります。

サンプル1：画面更新の表示

```
For i = 1 To 1000
    For j = 1 To 100
        Cells(i, j).Select
        ActiveCell.FormulaR1C1 = 1
    Next j
Next i
```

サンプル2：画面更新の非表示

```
Application.ScreenUpdating = False
For i = 1 To 1000
    For j = 1 To 100
        Cells(i, j).Select
        ActiveCell.FormulaR1C1 = 1
    Next j
Next i
Application.ScreenUpdating = True
```

【ベンチマークテストの結果】

※記載している時間は、著者のパソコンでの実行例です（以下同）。

サンプル1……154秒

サンプル2…… 11秒

サンプル1とサンプル2では、実に14倍という圧倒的なスピードの差が出ました。サンプル2のコードで「非表示」を「表示」に切り替えるには、この構文の先頭にコメントマークのクォーテーション（'）をつけるだけです。この1行をコメントアウトするかしないかだけで「表示」「非表示」

を切り替えられるので、バージョンアップなどで一度完成したプログラムに手を加える場合に、処理の「見える化」をしやすいというメリットもあります（「見える化」については本章末のコラムを参照）。

'Application.ScreenUpdating = False →コメントアウトしている（表示）

↓↑

Application.ScreenUpdating = False

→コメントアウトしていない（非表示）

❷ 非表示個所の調整（一部だけ表示する）

前項の「画面更新の非表示」は、少し大げさにいうと、仕事の「見える化」に反した「見えない化」になってしまうわけで、「何が何でも非表示」というわけにはいかない場合もあるでしょう。

そうしたときのための、「一部だけ表示する」テクニックを紹介します。

サンプル3：一部の処理経過だけを表示

```
Application.ScreenUpdating = False
For i = 1 To 1000
    Application.ScreenUpdating = False
    For j = 1 To 99
        Cells(i, j).Select
        ActiveCell.FormulaR1C1 = 1
    Next j
    Application.ScreenUpdating = True
    Cells(i, 100).Select
    ActiveCell.FormulaR1C1 = 1
Next i
Application.ScreenUpdating = True
```

【ベンチマークテストの結果】

サンプル3……31秒

このサンプル3の場合、サンプル2よりは約3倍の時間がかかっていますが、それでもサンプル1と比べれば5倍以上の速度となります。

先ほどの完全非表示とは異なり、処理中の経過の一部を目で見てたどることができます。「スピードをなるべく速くしたい、そのうえで、(処理の)見える化も確保したい」というときには、この「一部だけ表示する」テクニックを参考にしてください。

❸ 大量データをソートする場合の高速化

データを昇順や降順などの条件で並べ替える際には通常、「データ同士を比べて入れ替える」という2重ループのコードを組まなければなりません。2重のループを回す処理は、当然ながら、データ数のべき乗の時間がかかり、処理速度は遅くなりがちです。さらに、プログラミングの難易度も上がります。

VBAの場合は少し事情が異なります。2重ループを組まなくても、高速かつ簡単にソートができる方法があるのです。

サンプル1：一般的な昇順ソートのコード例

```
Dim gData(10000) As Double
For i = 1 To 9999
    For j = i + 1 To 10000
        If gData(j) < gData(i) Then
            tmpData = gData(j)
            gData(j) = gData(i)
            gData(i) = tmpData
        End If
    Next j
Next i
```

サンプル2：Sortメソッドを使用したコード例

```
Cells.Select
Selection.Sort _
    Key1:=Range("A1"), _
    Order1:=xlAscending, _
    Header:=xlGuess, _
    OrderCustom:=1, _
    MatchCase:=False, _
    Orientation:=xlTopToBottom, _
    SortMethod:=xlPinYin, _
    DataOption1:=xlSortNormal
```

【ベンチマークテストの結果】

サンプル1……14秒

サンプル2……0.02秒

この結果が示すように、Excelの並べ替えの機能（Sortメソッド）を使えば高速で処理でき、大差のついた結果が得られます。

2重ループを組む必要もありません。「マクロの記録」を開始して、ソートの条件を画面で設定して（詳細な設定も可能です）、あとは記録したコードを自分のコード中に組み入れればよいだけです。わざわざ配列にデータを取り込む必要すらありません。

❹ セル指定での高速化

Excelでデータを読み書きするときには、「どのセルから」（読み込むとき）または「どのセルへ」（書き出すとき）を指定する必要があります。

通常は「マクロの記録」で記録したとおり、`Range("A2").Select`や、横方向の可変に便利な`Cells(2, 1).Select`といったSelect文を使います。

処理速度という点では、指定方法で大きな差が生じます。言い換えれば、セル指定の仕方の工夫次第で大幅なスピードアップが図れます。

サンプル1：セルを選択して配列に入れる例

```
Dim gData(50000) As Double
For i = 1 To 50000
    Range("B" & CStr(i)).Select
    a(i) = ActiveCell.Value
Next i
```

サンプル2：セルの値をダイレクトに配列に入れる例

```
Dim gData(50000) As Double
For i = 1 To 50000
    a(i) = Range("B" & CStr(i)).Value
Next i
```

サンプル3：同上でCellsを使う例

```
Dim gData(50000) As Double
For i = 1 To 50000
    a(i) = Cells(i, "B").Value
Next i
```

【ベンチマークテストの結果】

サンプル1……14.7秒

サンプル2……1.0秒

サンプル3……0.8秒

このように、セルからダイレクトに値を入れる方法だと、14倍以上の速度が得られる結果となりました。Cellsに書き変えれば、さらに20％程度のスピードアップも期待できるという結果です。

ただし、マクロ開発中のデバッグでは、Selectを使うのが（バグのデータ位置を即座に知ることができるという意味で）圧倒的に有利です。ダイレクトに値を入れる方法は、マクロ完成後のチューニングとして試すとよいでしょう（本章末のコラムを参照）。

少し余談ですが、サンプル2のa(i) = Range("B" & CStr(i)).Valueという書き方は本来、次のコードの省略形です。

```
Dim gData(50000) As Double
Dim objRng As Range
Set objRng = Range("B" & CStr(i))
a(i) = objRng.Value
Set objRng = Nothing
```

どちらで書いても速度的にほとんど変わりませんから、オブジェクト指向的な（難しい）コードは使わずに、サンプル2のように1行で書くのがよいでしょう。

❺ 不要行の削除の高速化

不要なデータをその行ごと削除するのは、けっこう時間がかかってしまう処理になります（VBAで行や列を削除したり移動したりする処理には、それなりの時間がかかるのです）。そのため、高速化テクニックの最後として、不要な行（不要行）の削除の高速化も紹介しておきましょう。

Excelでデータを加工・集計していると、どうしても不要行が生じがちです。筆者が依頼を受けて処理速度向上の診断をしたVBAプログラムの中には、「このマクロは妙に時間がかかってるなぁ～」と思ったら、データ処理をしながら「不要行を見つけて、そのたびに削除している」ケースが多々あります。

サンプル1：通常の不要行削除のコード例

```
Application.ScreenUpdating = False
i = 1
Do While Range("B" & i).Value <> ""
    a = Trim(ActiveCell.Value)
    If Range("A" & i).Value = "" Then
        Rows(i).Delete Shift:=xlUp
    Else
        i = i + 1
    End If
Loop
```

サンプル2：オートフィルタを使った不要行削除のコード例

```
n = Cells(Rows.Count, "A").End(xlUp).Row
Cells.Select
Selection.AutoFilter
Selection.AutoFilter Field:=1, Criteria1:="<>"
Rows("1:" & n).Select
Selection.Copy
Sheets.Add
Rows("1:1").Select
ActiveSheet.Paste
Range("A1").Select
Application.CutCopyMode = False
```

【ベンチマークテストの結果】

サンプル1……34秒

サンプル2……1.3秒

不要行を見つけて削除する代わりに、オートフィルタを使ったコードがサンプル2です。この結果、30秒以上かかっていた処理がわずか1秒少々に短縮できました。

このサンプル2では、処理時間のかかる行削除は行わずにExcelのオートフィルタ機能を使って必要行のみ（この場合は「空白以外のセル」のみ）を抽出したうえで、それを新しい別のシートにコピーする方法を用いています。

ちなみに、データの並び替え機能を使っても似たようなことはできると思います。ただし、並び替え機能では、使い方によってはデータの順番が変わってしまう危険性も伴います。オートフィルタを使うほうがより安全で手軽です。

❻ 補足（処理時間の計り方）

補足になりますが、今回のベンチマークで行った処理速度の測定は、以下のサンプルコードを使って測っています。ご自身で計測される際の参考にしてください。

サンプル1：処理時間を測定する際のコード例

```
'↓Windows起動からの経過時間をミリ秒単位で取得する関数の宣言
Declare Function GetTickCount Lib "kernel32.dll" () As Long

Sub Macro1()
    stTimer = GetTickCount     'GetTickCountの戻り値=ミリ秒単位

    【測定する処理】

    endTimer = GetTickCount
    Debug.Print "経過時間 = " & (endTimer - stTimer) / 1000 &
"sec"
End Sub
```

COLUMN マクロ高速化の正しい手順と「見える化」

本章で取り上げた高速化に絡めて「見える化」の重要性をお伝えします。

先に結論からいうと「プログラムの高速化は、完成してからやるものだ！」ということです。プログラムの高速化とは、すなわちコードのチューニングというのは、完成したプログラムに対して行うものです。

初心者が作成中の（開発途中で未完成の）VBAコードを拝見すると、その冒頭に「Application.ScreenUpdating = False」のあるケースをよく見かけます。本章で説明したように「シートの更新を非表示にする」一文で、これを時間のかかるループ処理の前に入れておくと各段に処理速度が上がることは本章で説明しましたね。

だけど、ちょっと待ってください！このプログラム、まだ完成はしていないんですよね!? プロのシステム開発の現場でも（下手なプログラマーに）よくありがちですが、まだ完成していないコードで、このようないわゆる「見えない化」をしてしまっているケースが多々あります。問題は、「見えない化」により開発作業がしづらくなってしまうことなのです。

そもそも、ハードウェアとは違い、形の無い「無形物」であるプログラムの開発では、その形無き厄介なものをいかに目に見えるようにして作っていくか、それに尽きるわけです。だからこそ、IT現場で重要とされるのが、無形物の中身を文章などで詳しく記した「開発ドキュメント」であり、それが「見える化」であることは間違いありません。

システム開発現場での長年にわたる筆者の経験上、仕事の遅いプログラマーほどなぜかその逆をやってしまう傾向にあります。つまり「見えない化」をやってしまうのです。「見えない化」は確実に物を作りづらくし、生産性を下げる一番の要因になります。目に見えない物をどうやって見えやすくするか、ソフトウェア工学はその方法論に尽きるわけです。とりわけ、Excel VBAでの高速化とは「実行時にその動作の経過を見せないようにすること」になりますから、それをよく踏まえたうえで、正しい手順で高速化に取り組むようしてください。

付録

本章では、付録として次の内容をご紹介します。

1 テストデータとサンプルコードのダウンロード先

2 VBAコードの移動と完全削除の方法

3 「マクロの記録」の賢い使い方：固定部分を可変に直す

4 チャレンジ問題の解答例

1 テストデータとサンプルコードのダウンロード先

各章のテストデータなどをダウンロードできる、本書ウェブページのアドレス（URL）は以下です（※補足・訂正情報もこちらからご覧いただけます）。

■本書ウェブページ

https://nkbp.jp/080281

このウェブページから次のファイルをダウンロードできます。

第4章　テストデータ格納フォルダ　「data4」（6つのデータファイル）

第5章　本章で使うサンプルデータファイル　「千葉市の気象データ.csv」

本章で使うサンプルプログラム

「Lesson5_1.xlsm ～ Lesson5_4.xlsm」

テストデータ格納フォルダ「data5」（4つのデータファイル）

第6章　本章で使うサンプルデータファイル　「Lesson6.xlsx」

第7章　本章で紹介するサンプルプログラム　「Lesson7.xlsm」

2 VBAコードの移動と完全削除の方法

本節では、マクロに関してよく行う操作（マクロの移動、マクロの削除）を紹介します。

【マクロの移動】

作ったマクロを他のファイル（Excelブック）に移動する手順を説明します。マクロを他のファイルに移すには、モジュール単位でファイルの「インポート」と「エクスポート」を使います。

❶ 移動元の移動したいモジュール名を右クリックして「エクスポート」を選び、［ファイルのエクスポート］画面で適当な保存場所に保存します。

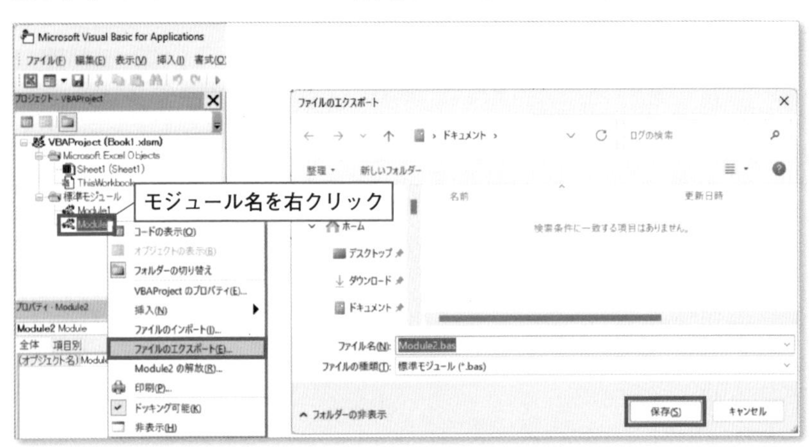

❷ 移動先のExcelファイルを開いて、エクスポートした先の保存場所からファイル（拡張子.bas）を選んで「インポート」します。

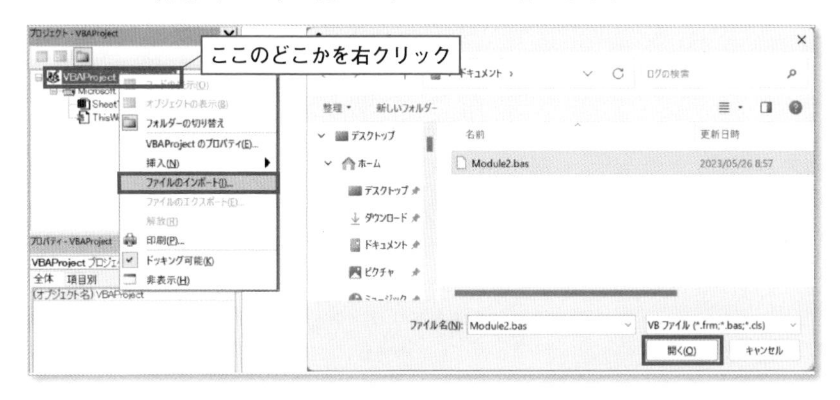

【マクロの完全削除】

「消したはずなのにまだマクロが残ってる？」ということがよくあります。必要のなくなったマクロの消し方を説明します。

❶ まずは、一般的な消し方を紹介します。モジュール名を右クリックして［ModuleXの解放］を選び、「いいえ」を押します。

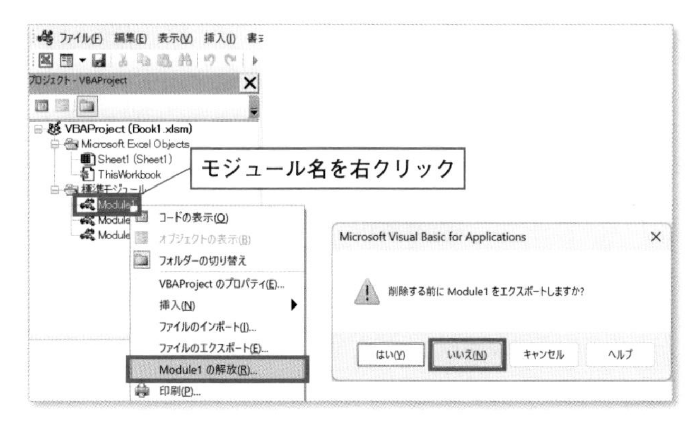

❷ 以下のようなフォーム（UserFormなど）やクラスモジュールがある場合にも、上記と同様の方法により、すべてを削除する必要があります。

フォームがある場合の削除方法です

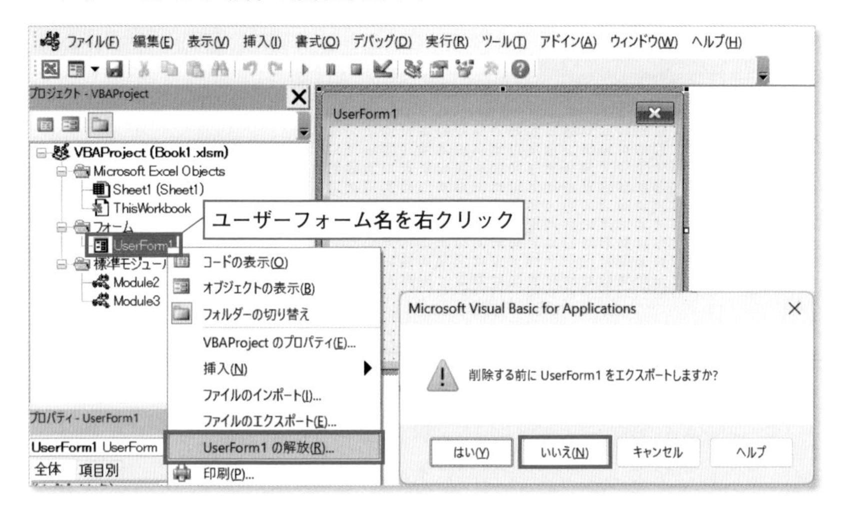

クラスモジュールがある場合も同様にすべてを解放します

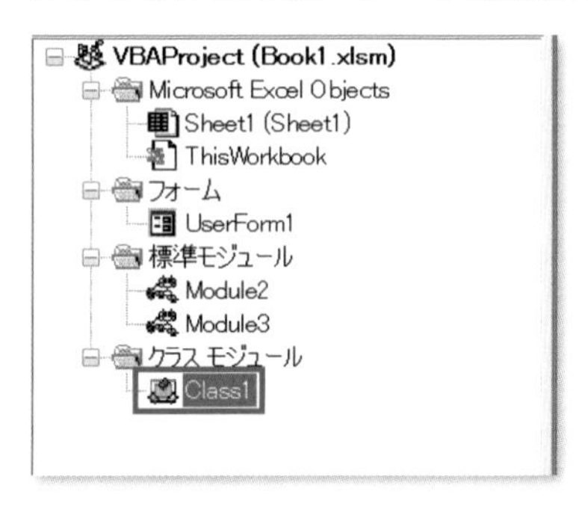

❸ これらを実行した場合でも、ファイルを開いたり閉じたりするときに、セキュリティ警告などのメッセージが表示される場合があります。各シートにイベント処理のコードが書いてある場合などにそうしたメッセージが表示されます。イベント処理のコードを次のようにして削除します。

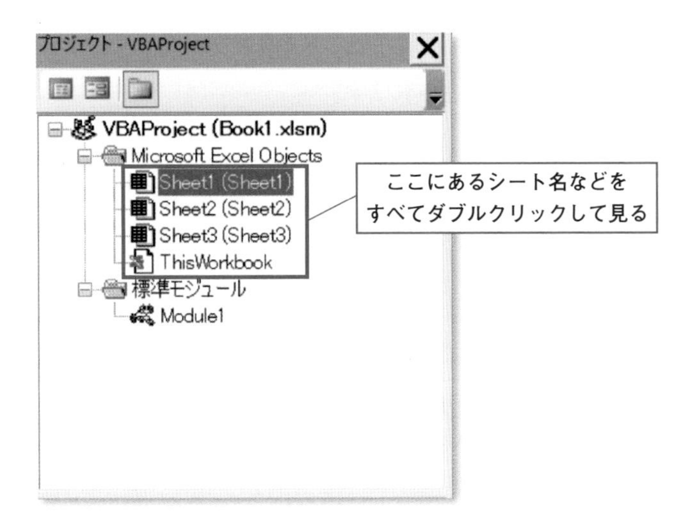

右側にコードが表示された場合には、すべてのコードを選択してDeleteキーで削除する。

❹ 削除の裏ワザ：モジュール類（上記のマクロが入った場所）がたくさんあるときには、上記の方法で一つ一つ削除していくのは大変です。そこで裏ワザとして、ブックをいったんマクロなしの形式（拡張子.xlsx）で名前を変えて保存して、一回でモジュール類をすべて削除する方法を紹介します。

【ファイルの名前を変えてマクロなどをすべて削除する手順】

［ファイル］→［名前を変えて保存］→ファイルの形式を現在の「マクロ有効ブック（.xlsm）」からプルダウンリスト一番上の「Excelブック（.xlsx）」を選んで、［保存］を押す。

マクロは保存されないという旨の警告メッセージが出るので、（おかまいなしに）「はい」を押します。

たったこれだけで、マクロ類がいっぺんに消去された（データだけの）Excelファイルが新たに保存されます。

ちなみに、消す前の（マクロ入りの）Excelファイルも、それとは別のファイルとして（元々の拡張子が.xlsmのファイルに）消えずに残ります。ですからこの裏ワザは、気軽に実行してもなんら問題ありません。マクロの全削除が必要という方は、こちらをお試しください。

3 「マクロの記録」の賢い使い方：固定部分を可変に直す

「マクロの記録」の賢い使い方（コツ）を紹介します。コツは、固定部分を可変に修正する方法をマスターすることです。その具体例は以下のとおりです。

【ループ回数】

固定例 `For i = 1 To 10 '固定で10回のループを回す`

↓

可変例 `For i = 1 To n  '下記で取得したnの数分だけのループを回す`

【各種可変数の取得】

```
n = Cells(Rows.Count, "B").End(xlUp).Row
                                '【行数】B列の最後のデータの行の行番号
n = Cells(3, Columns.Count).End(xlToLeft).Column
                                '【列数】3行目の最後の列の列番号
n = Sheets.Count                '【シート数】
n = Workbooks.Count             '【Book数】起動中のExcelファイルの数
n = ActiveSheet.Shapes.Count '【図形数】図形,グラフ,ボックス等の総数
```

【セルの選択】(固定時→可変時)

```
Range("C1:C100").Select → Range("C1:C" & n).Select
                                    '最後の行まで選択する
Range("A2").Select      → Range("A" & i).Select
                                    'ループの中の可変
Range("B5:N5").Select   → Range("B" & i & ":N" & i).Select
                                    'セルの範囲指定
Rows("3:3").Select      → Rows(i).Select   '行選択
Rows("3:3").Select      → Rows("3:" & i) .Select
                                    '複数行(開始は固定)
Rows("3:3").Select      → Rows(i & ":" & i + 2).Select
                                    '複数行(開始も可変)
Range("B3").Select      → Cells(3, j + 1).Select
                                    '横(列)方向へのループ
Columns("C:D").Select   → Range(Columns(j), Columns(j+1)).Select
                                    '複数列の選択
```

【シート選択の場合】

```
Sheets("Sheet1").Select → Sheets(i).Select  '左からi番目のシート
```

使用例 シート数のループの中で

```
    n = Sheets.Count
    For i = 1 To n
        Sheets(i).Select
        MsgBox ActiveSheet.Name
    Next i
```

【シート名の固定を回避】

```
Worksheets("Sheet1") → ActiveSheet
```

使用例 固定のシート名をActiveSheetに修正

```
ActiveWorkbook.Worksheets("Sheet1").Sort → ActiveWorkbook.ActiveSheet.Sort
```

【Bookの場合】

```
Windows("Book1").Activate → Windows(i).Activate  'iは起動順
```

使用例 起動中Book数のループの中で

```
    n = Workbooks.Count
    For i = 1 To n
        Windows(i).Activate
        MsgBox ActiveWorkbook.Name
    Next i
```

【図形やグラフの場合】

```
ActiveSheet.Shapes.Range(Array("Oval 2")).Select → Sheets(i).Select
                                                  'iは作成順
ActiveSheet.ChartObjects(1).Activate → ActiveSheet.ChartObjects(i).Activate
                                                  '同上
```

使用例 図形数のループの中で

```
    n = ActiveSheet.Shapes.Count
    For i = 1 To n
        ActiveSheet.Shapes(i).Select
        MsgBox Selection.Name
    Next i
```

4 チャレンジ問題の解答例

以下の章のチャレンジ問題の解答例を紹介します。

第5章　5-2　演習1 ～ 演習4　5-4　演習5

第6章　6-1　演習1 演習2 演習3 演習4

■ 第5章

【5-2：回答例】

演習1（修正個所のあるMacro2のみ記載）

```
Sub Macro2()
    n = Cells(Rows.Count, "A").End(xlUp).Row
    m = Cells(1, Columns.Count).End(xlToLeft).Column
    For i = 1 To n
        tmp = ""
        For j = 1 To m
            tmp = tmp & Cells(i, j) & " "        '←空白区切り
        Next j
        Print #6, tmp
    Next i
End Sub
```

演習2（修正個所のあるMacro2のみ記載）

```
Sub Macro2()
    n = Cells(Rows.Count, "A").End(xlUp).Row
    m = Cells(1, Columns.Count).End(xlToLeft).Column
    For i = 1 To n
        tmp = ""
        For j = 1 To m
            tmp = tmp & Format(Cells(i, j), "0.0") & " "   '←小数
点以下1桁（空白区切り）
        Next j
        Print #6, tmp
    Next i
End Sub
```

演習3（修正個所のあるMacro1のみ記載）

```
Sub Macro1()
    ChDir ThisWorkbook.Path
    sFileName = ActiveSheet.Name & ".txt"    '←シート名をファイル
名にする
    Open sFileName For Output As #6
    Call Macro2
    Close #6
End Sub
```

演習4（修正個所のあるMacro1のみ記載）

```
Sub Macro1()
    ChDir ThisWorkbook.Path

    '「シート名」+「今日の日付」をファイル名として付ける
    sFileName = ActiveSheet.Name & Format(Date, "_yyyy_mm_dd") & ".txt"

    Open sFileName For Output As #6
    Call Macro2
    Close #6
End Sub
```

【5-4：回答例】

演習5（修正個所のあるMacro1のみ記載）

```
Sub Macro1()
    For i = 1 To Sheets.Count
        Sheets(i).Select
        If ActiveSheet.Name Like "*data*" Then
            s = ActiveSheet.Name & ".txt"
            sFileName = ThisWorkbook.Path & "¥data¥" & s
            Open sFileName For Output As #6
            Call Macro2
            Close #6
        End If
    Next i
End Sub
```

第6章

【6-1：回答例】

演習1

```
Sub Macro1()
'
    ActiveSheet.Shapes.AddChart2(227, xlLine).Select
    ActiveChart.SetSourceData Source:=Range("B1:C1,B50:C73")
    Range("A1").Select
End Sub
```

演習2

```
Sub Macro2()
'グラフの名称
    ActiveSheet.ChartObjects("グラフ 1").Activate
End Sub
```

演習3

```
Sub Macro3 ()
'棒グラフ
    ActiveSheet.Shapes.AddChart2(201, xlColumnClustered).Select
    ActiveChart.SetSourceData Source:=Range("Sheet1!$B$1:$C$25")
End Sub
```

演習4

```
Sub Macro4()
'グラフのタイトルに日付を付加する
    ActiveSheet.ChartObjects("グラフ 1").Activate
    ActiveChart.ChartTitle.Text = "流量_" & Range("A26")
    Range("A1").Select
End Sub
```

■渡部 守（わたべ まもる）

1962年埼玉県生まれの千葉育ち、理工系大学を出て就職した大手情報処理会社で科学技術システム部門に配属され、当時世界最速と謳われた米CRAYのスーパーコンピュータを使って原子力プラントの熱流動解析コード（FORTRAN77）の開発および同解析に携わる。その後、建設系の3次元CADシステムのマクロ開発にてマクロと出会い、以降長年マクロ開発に携わりAutoCADやExcelのVBAと出会う。SEとして独立後、システム開発の傍らでC言語やJava等の研修講師も務めるなど若手プログラマーの育成にも力を注ぐ。20年前からは独自の教え方にてExcel VBAの講座を開き1万人以上のメルマガ読者を集めるなど、現在は千葉と長野にて2拠点生活を送りながら広くマクロプログラミングの普及活動を行っている。モットーは「マクロの普及で日本の生産性を上げる！」

https://www.start-macro.com/55/

エンジニアがExcel VBAを簡単に学べる本

2023年7月24日　第1版第1刷発行

著　　者	渡部 守
発 行 者	中川 ヒロミ
発　　行	株式会社日経BP
発　　売	株式会社日経BPマーケティング 〒105-8308　東京都港区虎ノ門4-3-12
装　　丁	小口 翔平 ＋ 須貝 美咲（tobufune）
制　　作	山原 麻子（株式会社マップス）
編　　集	田島 篤
印刷・製本	図書印刷株式会社

■本書についての最新情報、訂正、重要なお知らせについては下記Webページを開き、書名もしくはISBNで検索してください。ISBNで検索する際は-（ハイフン）を抜いて入力してください。
https://bookplus.nikkei.com/catalog/

■本書に掲載した内容についてのお問い合わせは、下記Webページのお問い合わせフォームからお送りください。電話およびファクシミリによるご質問には一切応じておりません。なお、本書の範囲を超えるご質問にはお答えできませんので、あらかじめご了承ください。ご質問の内容によっては、回答に日数を要する場合があります。
https://nkbp.jp/booksQA

ISBN978-4-296-08028-1
Printed in Japan